Szósta klepka

dedykacja:
Kochanemu Bolkowi
z podziękowaniem
za wszechstronną
pomoc.

MAŁGORZATA MUSIEROWICZ

Szósta klepka

Wydawnictwo AKAPIT PRESS

Projekt okładki i ilustracje:
Małgorzata Musierowicz

ISBN 978-83 -60773-03-1

Wydawnictwo **AKAPIT PRESS**
Dział zamówień: ul. Beczkowa 30/3, 93-487 Łódź
tel./fax (042) 680 93 70
Księgarnia internetowa: www.akapit-press.com.pl
e-mail: info@akapit-press.com.pl

Druk i oprawa: Drukarnia Księży Werbistów
86-134 Dragacz, Górna Grupa, ul. Klasztorna 4
tel.(052) 33 06 377, fax (052) 33 06 378
e-mail: dw@drukarnia-svd.com.pl
www.drukarnia-svd.com.pl
ISO 9001, ISO 14001

1

Dziesiątego grudnia 1975 roku, jak zwykle, w różnych punktach globu zegary wskazywały różny czas.

W Poznaniu była piąta rano.

Ulicą Słowackiego, dokładnie tak samo jak wszystkimi ulicami wszystkich polskich miast, pierwsi drżący przechodnie przemykali pod ścianami domów, to oblewając się nieziemską poświatą, wydzielaną przez lampy jarzeniowe, to znów ginąc w mroku poranka. Gdyby któremuś z tych niewyspanych ludzi przyszła fantazja spojrzeć w górę, ujrzałby zapewne widok godny uwagi. Ale o piątej rano, w grudniu, fantazja jest ostatnią rzeczą, jaką może się poszczycić przechodzień. O godzinie piątej rano, w grudniu, przechodzień szczęka zębami, patrzy pod nogi i sunie do pracy. Nie ma zbyt wiele czasu, żeby się rozglądać. Gdyby miał zbyt wiele czasu, toby raczej wstał o kwadrans później.

W tych okolicznościach nikt nie dostrzegł, że na balkonie starego domu z wieżyczką płonie ognisko. Ognisko było imponujące. Płomienie huczały tryskając snopami iskier, żywy, migotliwy blask wydobywał z mroku nieruchomą figurkę w kaloszach i swetrze zarzuconym na piżamę. Figurką ową był Bobcio, inteligentny sześciolatek, zamieszkujący wraz z rodziną Żaków pierwsze piętro żółtego domu z wieżyczką.

Bobcio bawił się właśnie w Nerona.

Ciekawą tę postać historyczną wprowadzono w podświadomość Bobcia zaledwie wczoraj. Sprawcą tego był dziadek, który wiódł przy kolacji męczący spór z wujem Żaczkiem. Bobcio siedział właśnie przed telewizorem i oglądał na dobranoc przygody Koziołka Matołka.

Dziadek, jak zwykle krewki, dał się unieść fali elokwencji i szeroko komentował nikczemne poczynania cesarza – matkobójcy, na temat którego właśnie niedawno przeprowadził wnikliwe studia. Bobcio siedział cicho i wlepiał w ekran swoje błękitne oczy, sprawiając wrażenie, że przygody durnego koziołka pochłonęły go całkowicie. Dziadek nie mógł przypuszczać, że jego opowieść zakiełkuje w duszy wnuka. Ale zakiełkowała. Szczęśliwie żadna ze zbrodni starożytnego okrutnika nie przemówiła do wyobraźni dziecka tak silnie, jak widowiskowy casus podpalenia Rzymu.

W nocy Bobcio spał niespokojnie. Przed piątą wyrwał go ze snu łomot pojemników na butelki i głośne przekleństwa mleczarza. Chłopiec wyszedł ze swego łóżeczka, wywlókł spod fotela kalosze, po ciemku odnalazł sweter i udał się na balkon, wymijając zręcznie kanapę ze śpiącą mamą. Pamiętał, że na balkonie wujek Żaczek zwykł był palić niepotrzebne zwoje kalek zawierających tajne projekty dla Zakładów HCP Cegielski. Wuj używał do tego celu specjalnego kubełka po marmoladzie wieloowocowej. Bobcio wszakże postanowił oddać cesarzowi co cesarskie i rozniecić ognisko wprost na kamiennej posadzce balkonu.

Kalka paliła się płomieniem wielkim, lecz krótkotrwałym. Ogniowi groziło wygaśnięcie. Bobcio rzucił więc na stos spory plik tygodników kulturalno-społecznych, kilka nudnych, jego zdaniem, broszur, dużą ilość własnych rysunków przedstawiających głównie czołgi, a wreszcie, wiedziony raczej pomysłowością niż wiedzą, chlusnął w ogień resztę denaturatu, którym wczoraj kuzynka Cesia myła szyby w kredensie.

Paliło się fajnie. Od denaturatu ogień był jakby niebieski. A kiedy zajęła się firanka, płomienie zyskały piękny odcień żółci. Bobcio byłby dłużej upajał się tą feerią barw, był jednak mądrym dzieckiem i wiedział, że od firanek na ogół zaczyna się pożar. Tyle przynajmniej spamiętał z pewnego pouczającego filmu w telewizji.

Udał się więc spokojnie do łazienki, by nalać wody do dzbanka. Trochę to trwało. Kiedy wrócił, nie było już firanki, ale ogień dogasał. Bobcio polał wodą dywan, na którym tliło się kilka iskier, chlusnął dla świętego spokoju na okopcone ściany i zalał ostatecznie Neronowe ognisko.

Potem ziewnął, zrzucił kalosze i wskoczył do łóżka pod ciepłą jeszcze kołderkę. Strasznie zachciało mu się spać.

2

Cała rodzina Żaków, kołysana łagodnie w objęciach Morfeusza, płynęła z wolna ku nieuchronnemu przebudzeniu.

Obok Bobcia, który natychmiast zapadł w kamienny sen, poświstywała przez nos jego mama. Spała spokojnie, ponieważ w jej podświadomości zakodowana była informacja, że w retuszerni Zakładów Graficznych imienia Kasprzaka pierwsza zmiana zaczyna pracę o ósmej.

W sąsiednim pokoju wujek Bobcia, inżynier Żak, spał mocno obejmując ramieniem swoją żonę. Wujek Żaczek miał być wkrótce wyrwany ze snu przez terkot budzika. Chodził do pracy na siódmą. Pani Żakowa natomiast, z zawodu i powołania artystka rzeźbiarka, prowadziła nieusystematyzowany tryb życia i budziła się w zależności od tego, o której godzinie w nocy skończyła zmagania twórcze.

Mały pokoik w głębi korytarza należał do dziadka. Mimo zamkniętych drzwi płynęło stamtąd gromkie chrapanie, obwieszczające światu, że starszy pan śpi snem sprawiedliwego.

W drugim małym pokoiku, przerobionym z dawnej spiżarni, spały siostry Żak – Julia i Celestyna. Julia, piękna studentka sztuk pięknych, obdarzona przez rozrzutną Naturę nie tylko licznymi talentami, lecz i urodą hiszpańskiej gwiazdy filmowej, spała cicho, z lekkim uśmiechem na pięknych ustach, nawet we śnie zadowolona z siebie. Natomiast Celestyna, zwana w rodzinie Cielęciną, leżała skurczona i śniła, że nikt jej nie kocha.

3

Było wpół do siódmej, gdy Celestyna otworzyła oczy.

Przez chwilę leżała bez ruchu grzejąc się w cieple pościeli. Całe jej szesnastoletnie jestestwo wzdragało się przed porzuceniem tego ciepła.

Ale nie trwało to długo; Celestyna Żak wyrabiała w sobie bowiem silną wolę, wychodząc z założenia, że jeśli już nie jest ładna, to przynajmniej powinna być godna szacunku. Choćby tylko swojego.

Bohatersko odrzuciła kołdrę i usiadła na łóżku. Która to może być godzina? W pokoju było ciemno. Z sąsiedniego tapczanu, razem z delikatną wonią perfum „Antilope", płynął cichy, równy oddech. Artystka Julia wstawała o zgoła innej porze.

Cesia namacała w ciemnościach miękką tkaninę szlafroka i niemrawo wpychając dłoń w rękaw zastanawiała się, czy ojciec już poszedł do pracy i czy nie zapomniał zostawić dla niej gorącej wody na herbatę.

Pewnie już poszedł, bo w mieszkaniu panowała cisza rozdzierana jedynie dramatycznym chrapaniem dziadka. Cesia zawiązała szlafrok i powlokła się długim, zimnym korytarzem. Weszła do łazienki, która była ponurym pomieszczeniem wyposażonym w armaturę z początków stulecia. Żółte światło lampki umieszczonej nad umywalką oblało twarz Celestyny. Obiektywnie była to twarz miła, optymistyczna i różowa, o jasnych oczach, jasnych brwiach, jasnych rzęsach i jasnych kudłatych włosach wokół tego wszystkiego. Jasne oczy miały spojrzenie uczciwe i myślące, a na twarzy malowały się wrodzona pogoda i poczucie humoru. Wydawałoby się, że ten zespół zalet wystarczy, by wprawić osobę szesnastoletnią w stan zadowolenia z własnej powierzchowności.

Ale Celestyna była odmiennego zdania. Uważała, że jest beznadziejnie brzydka, a co gorsza, brzydka brzydotą banalną, odstraszającą, prozaiczną i rzeczową. Z taką twarzą – myślała – nie sposób wyglądać uwodzicielsko ani tajemniczo. Z taką twarzą wygląda się zawsze trzeźwo, zdrowo i obrzydliwie zwyczajnie.

Nic dziwnego, że nikt się w niej dotąd nie zakochał. Ona sama uważa swoją twarz za nieinteligentny kawałek różowego mięsa. Czy widok takiego obiektu może sprawić, że serce jakiegoś wspaniałego chłopaka zabije nagle płomiennym uczuciem?

Wykluczone.

– Że już nie wspomnę o łydkach – powiedziała głośno Celestyna, wpatrując się w swoją twarz w zwierciadle. – Za grube, za grube, o wiele za grube. – Gdzieś w głębi jej piersi narastało przeczucie chandry. Do klasówki z matematyki zostało marne półtorej godziny.

Za oknem ciemniał ponury ranek. Było zimno i rozpaczliwie. Oczami duszy ujrzała Cesia nieskończoną przestrzeń czasu, kładącą się między chwilą obecną a zgonem. I czas ten był wypełniony głównie samotnością, ponieważ z takim wyglądem można liczyć tylko na samotność. Inne dziewczyny będą sobie przeżywały wielkie miłości, będą sobie następnie żyły radośnie i szczęśliwie hodując dzieci i wnuki. Ona będzie tragicznie sama.

Jakoś nic nie płynęło z otwartego kranu.

Celestyna z trudem oderwała wzrok od swojego odpychającego odbicia w lustrze.

– Dlaczego nic nie płynie z kranu? – zadała sobie pytanie. I natychmiast dostrzegła na umywalni kartkę zagryzmoloną pismem ojca:

Cesia, nie ma wody, szlag by trafił. Pewnie znów zalaliśmy Nowakowskich. Idź, przeproś i niech włączą. Aha i zadzwoń do PZU po ajenta, niech przyjdzie i wyceni straty. Boże, co za życie. Żaczek.

– Przecież nie zdążę! – powiedziała zirytowana Celestyna.

Postanowiła się umyć resztką wody z imbryka i nie pić za to herbaty. Kartkę ojca zostawiła na umywalni, niech kto inny dzwoni do PZU i nakłania sąsiadów, by otworzyli główny kran. Ona musi się skupić wewnętrznie przed klasówką. Poza tym na półce pod lustrem leżało jakieś nowe interesujące pudełeczko ze złotym napisem „Elizabeth Arden". Należało zbadać jego zawartość.

Tusz do rzęs. I to jaki, ho, ho.

Po co Julia chce smarować swoje cudowne czarne rzęsy? Niepojęty jak zwykle brak umiaru. „Co innego ja" – pomyślała Cesia i spojrzała z odrazą w lustro.

A gdyby tak pociągnąć tuszem te białe kłaczki wokół oczu?

Pociągnęła.

O, jakby głębsze spojrzenie. Oczy trochę bardziej zielone niż zwykle. No, no. Cesia wydęła wargi i opuściła nieco powieki patrząc sobie w oczy kuszącym spojrzeniem.

Och.

Kuszące jednak nie. Ale gdyby tak figlarne?

Spojrzała figlarnie, po czym z jękiem rozpaczy wróciła do normalnego wyrazu twarzy.

Spojrzenie zachęcające. Proszę uprzejmie.

O Boże. Jakby zachęcała do zupy pomidorowej.

Nie, to na nic. Spojrzała rzeczowo i z rezygnacją. O, tak. Tak jest. Tylko to. Teraz należy coś zjeść, ubrać się i pójść do szkoły.

4

Na dworze było jeszcze gorzej, niż przewidywała. Z czarnego nieba lał się prosto za kołnierz lodowaty płyn, wiatr szarpał połami Cesinego płaszcza. Ulica Słowackiego była ponura i niemiła. Cesia przeszła przez jezdnię i zatrzymała się obok oświetlonego kiosku „Ruchu", przed którym stała kolejka po „Głos Wielkopolski". Na półce obok okienka, pomiędzy plastykowymi żołnierzykami a kartonem pełnym długopisów „Zenith", stało lusterko, w którym Cesia ujrzała swoje odbicie: fragment źle ubranej, nieciekawej dziewczyny w naciśniętej na oczy włóczkowej czapce. Spod czapki wystawał duży, czerwony nos, po nosie spływały krople deszczu. Był to rozdzierający widok.

5

Ciemność na ulicach, deszcz, zimno. Przechodnie wtulają nosy w kołnierze i kryją się pod parasolami. Samotność. Żadnej bratniej duszy.

Cesię ogarnęła z wolna chandra-gigant, rozpaczliwe poczucie osamotnienia i bezsensu wszystkiego. Cóż bowiem czeka ją w życiu? Jakie ma szanse na umeblowanie świata swoich uczuć, jeśli po trzech miesiącach nauki w nowej szkole nie potrafiła znaleźć sobie przyjaciółki, nie mówiąc już o chłopaku do chodzenia. Od początku roku szkolnego nikt na Cesię po prostu nie zwrócił uwagi, a ona była zbyt nieśmiała i zbyt dumna, żeby zabiegać o względy koleżanek. Zresztą były to na ogół rześkie, dobrze ubrane, pewne siebie dziewczyny, które zawsze wprawiały biedną Cielęcinę w stan podziwu i lęku zarazem. A znów Danka Filipiak, która od początku zwróciła jej uwagę swoją poetyczną, tajemniczą małomównością, jak i wysoce uduchowionym wyrazem twarzy, po prostu wciąż jeszcze nie dostrzegała, że Cesia istnieje.

W domu to samo. Celestyna miała dziwne szczęście do zajmowania ostatniego miejsca, gdziekolwiek by się znalazła. Nie sprawiała rodzicom tylu kłopotów co szalona, leniwa i rozflirtowana Julia, przeciwnie, cichutko i rzetelnie wypełniała wszystkie swoje obowiązki. A jednak, mimo iż kochali Cesię tak samo jak starszą córkę, zauważali ją znacznie rzadziej. Sama zaś Julia, która w tym roku po wielu wysiłkach i uruchomieniu wszystkich możliwych znajomości dostała się wreszcie do PWSSP, od dnia inauguracji roku akademickiego przepadła dla Celestyny nieodwołalnie. W domu Żaków pojawiły się ekstrawagancko ubrane dziewczyny, przy których Cesia czuła się jak zakurzony sprzęt domowy, i kudłaci plastycy, którzy patrzyli tylko na Julię, ponieważ rzecz jasna Julia była najpiękniejsza.

Oczywiste jest, że Celestynę musiała trawić zawiść.

Zazdrościła Julii urody, talentów, przedziwnego wdzięku, swobody bycia i elokwencji, niezrozumiałej umiejętności ubierania się w byle co i wyglądania przy tym jak modelka z „Elle" i, oczywiście, powodzenia u chłopaków – tego najbardziej.

Przy tym wszystkim należy zaznaczyć, że nie była Cesia osobą o charakterze odrażającym. Nie nienawidziła przedmiotu swej zawiści, przeciwnie, kochała Julię z całej mocy, wielbiła ją i podziwiała. Złe zdanie miała tylko o sobie. W głębi jej duszy głęboko zakorzeniło się przeświadczenie, że jest o wiele gorsza od innych dziewcząt. Przyznawała sama przed sobą, że posiada, owszem, najróżniejsze skarby ducha, lecz, niestety, zalety jej ciała są przygnębiająco nieliczne. Brak pewności siebie utrudniał Cesi życie i niemożliwym czynił pełne porozumienie z otoczeniem.

Gdyby ktoś jej powiedział, że od samego domu idzie za nią jak wierny cień wysoki chłopak w skafandrze z kapturem, byłaby przekonana, że to jakieś nieporozumienie lub że ktoś chce jej zrobić głupi kawał.

A jednak szedł!

Chodził tak co dzień od trzech miesięcy. Co dzień rano czekał za kioskiem „Ruchu" naprzeciwko żółtego domu z wieżyczką. Krył się tam, dopóki nie zobaczył wychodzącej z domu Celestyny, a potem szedł za nią krok w krok podziwiając jej smukłą sylwetkę i ruchy pełne gracji, a także wspaniałe jasne włosy fruwające wokół ślicznej głowy. Nie przeszło mu przez myśl, że Celestyna w tej właśnie chwili wymyśla sobie od odrażających egocentryczek i dochodzi do wniosku, że zamiast

zajmować się bezustannie swoimi kompleksami, powinna poświęcić raczej całą uwagę temu nieszczęśliwemu światu. Zostać zakonnicą lub zatrudnić się w domu sierot na stanowisku pomywaczki lub też udać się do najbliższego leprozorium i tam służyć pomocą wszystkim trędowatym. Albo pójść na studia medyczne, oczywiście w przyszłości. W każdym zaś razie na pewno dążyć do udoskonalenia swej duszy, a więc przede wszystkim położyć kres zawiści, ponieważ zawiść jest uczuciem poniżającym.

6

Kilka minut po ósmej Cesia wśliznęła się boczkiem do klasy Ib. Prawie wszyscy już byli. Panowała atmosfera dosyć naprężona, jak to przed klasówką. Wszyscy rozmawiali przyciszonymi głosami. Wchodząc Celestyna jak co dzień pogratulowała sobie w duchu, że we wrześniu wybrała ławkę drugą w rzędzie przy drzwiach. Teraz wystarczył tylko krok i już siedziała w swojej bezpiecznej fortecy. Gdyby miała przejść przez całą klasę, pod ostrzałem spojrzeń wszystkich obecnych, wolałaby najprawdopodobniej zawrócić i uciec do domu.

Nie mogłaby znieść myśli, że wszyscy patrzą krytycznie na jej zbyt grube łydki.

Równolegle zaś drążyła ją paradoksalna świadomość, że nawet gdyby przeszła przez cała klasę trzykrotnie tam i z powrotem, i tak nikt by na nią nie spojrzał. W każdym razie siedziała teraz w swojej ławce obok najprzystojniejszego chłopca w klasie i nie tylko on, ale nikt w ogóle nie zwrócił uwagi na fakt, że pomalowała dzisiaj rzęsy.

Najprzystojniejszy chłopiec w klasie miał na imię Pawełek i podobny był do wszystkich aktorów filmowych naraz, a już najbardziej do nieokreślonego ideału męskiej urody, jaki nosi w swym sercu każda kobieta. Miał półdługie złote włosy, olśniewający uśmiech i promienne szafirowe oczy. Kiedy Cesia patrzała na niego zezem, widziała majaczące w tle ponure oblicze niejakiego Jerzego Hajduka i jego okrągłą, krótko ostrzyżoną głowę, który to widok stanowił oczywisty kontrast z rzymskim profilem Pawełka.

Z tego, że siedziała w jednej ławce z pięknym Pawełkiem, nie mogło wyniknąć nic poza korzyściami ściśle naukowymi. Pawełek był świetnym matematykiem i chętnie dawał ściągi poproszony o tę przysługę. Nie proszony nie tylko nie dawał ściąg, ale w ogóle nie dostrzegał Celestyny, czemu ona nawet się nie dziwiła. Bądź co bądź w klasie była taka ilość ślicznych dziewcząt, że doprawdy miał Pawełek na co popatrzeć.

W tej chwili właśnie patrzał na czarnowłosą Kasię, właścicielkę głowy w loczkach, zadartego noska i wspaniałych rzęs. Cesia również popatrzała na Kasię z bezinteresownym uznaniem. Pawełek przeniósł wzrok na rudą Beatę, a za nim spojrzała i Cesia, odnotowując przy okazji, że Beata ma pomalowane brwi. No, no, niczego sobie, nos też popudrowała, patrzcie, patrzcie.

A Hajduk gapił się na Cesię niechętnym wzrokiem.

Czego ten się gapi? Ponurak jeden.

Gapi się i gapi.

Cesia obdarzyła Hajduka spojrzeniem ostrym i wyniosłym. Niech się nie gapi. Wstrętny facet.

Patrzy taki i krytykuje w myślach każdą wadę Cesinej urody. Wszyscy oni są tacy. Lubią tylko ładne dziewczyny i zawsze patrzą przede wszystkim na nogi. „A sam wcale nie jesteś taki śliczniutki, kolego. Pryszcze masz i tyle.''

W tok Cesinowych mściwych rozmyślań wdarła się matematyczka, pani Pościkowa, otwierając energicznie drzwi i wkraczając do klasy. Była to rumiana, zaaferowana osoba o siwej czuprynie i rękach pełnych zeszytów do klasówek. W klasie natychmiast zmienił się nastrój. Ustała wymiana spojrzeń i znikły wszelkie odmiany cichego flirtu. Nie było już nic ważniejszego od klasówki.

7

Minęło pół godziny i Cesia szczęśliwie dotarła do końca obliczeń. Tym razem udało się jej nie poprosić Pawełka o pomoc, z czego była szalenie dumna. Właśnie zaczynała w duchu chwalić samą siebie, kiedy skrzypnęły drzwi klasy i stanęła w nich Danka Filipiak. Celestyna spojrzała na nią z zachwytem. Danka wyglądała jak rusałka z jeziora Świteź – wysmukła, blada, z tajemniczymi zamglonymi oczami.

– A to co? – spytała pani Pościkowa ze zdziwieniem patrząc w stronę drzwi.

– Zaspałam – oświadczyła Danka. Jej długie, brązowe włosy były potargane, bluzka zapięta krzywo.

– Co będzie z twoją klasówką?

– Nie napiszę.

– Dlaczego jesteś tak niedbale ubrana? – spytała pani Pościkowa ku oburzeniu Celestyny.

Danka milczała krnąbrnie patrząc w ziemię.

– Po lekcji zgłosisz się do wychowawcy – powiedziała zimno nauczycielka. – Brak mi już cierpliwości, Filipiakówna. Masz katastrofalne oceny i ani śladu dobrej woli.

Danka w milczeniu siadła na swoim miejscu. Cesia właśnie rozważała możliwość sporządzenia ściągaczki dla spóźnionej świtezianki, kiedy Pawełek zaszeptał coś z boku. Odwróciła się – przesuwał w jej stronę karteczkę zwiniętą w rulonik.

– Podaj Danusi...

– Nowacki! – powiedziała w tej samej chwili pani Pościkowa. Jej sokole oko dostrzegło podejrzany ruch w drugiej ławce. Podeszła bliżej, wyciągając dłoń.

Pawełek zachował się zdumiewająco. Złapał rulonik i usiłował go zniszczyć z pośpiechem tak podejrzanym, jakby to był zwitek tajnej bibuły, a nie zwykła ściągaczka.

– Daj to, daj – powiedziała nauczycielka stanowczo i Pawełek, nagle obezwładniony, wypuścił z palców karteczkę.

– „Nie gniewaj się kochana, wszystko ci wytłumaczę! – przeczytała głośno pani Pościkowa. – Przepisz szybko, może zdążysz. Może ci postawi choć trójkę. Ona jest mało spostrzegawcza. Całuję, twój na zawsze – Raczek".

W klasie rozległ się zbiorowy wybuch radości.

– Czy to liścik do Filipiakówny? – padło srogie pytanie.

Zmartwiały Paweł pokręcił głową.

– No to do kogo? – zdziwiła się pani Pościkowa.

Paweł skinął w stronę Cesi, nawet na nią nie patrząc.

Kątem oka Cesia zobaczyła wystraszoną twarz Danki. W następnej chwili zdała sobie sprawę, że poza Danką i Pawełkiem tylko ona jedna wie, kto miał być odbiorcą kartki. Przeleciał jej jeszcze przez głowę obraz koleżanki stojącej przed dyrektorem i obojętnie przyznającej się do wszystkiego, co jej zarzucą – i zerwała się z miejsca, z sercem przepełnionym uczuciem ofiarnej przyjaźni.

– T-to do mnie – powiedziała słabo, wskazując palcem ściągaczkę.

Pani Pościkowa popatrzała na nią z zastanowieniem. W klasie panowała cisza.

– Ach, tak – powiedziała wreszcie nauczycielka.

– T-tak... – szepnęła Cesia, której zaczynało już brakować tchu.

Zdawała sobie sprawę, że wersja, iż Pawełek do niej pisywał czułe liściki, była wysoce nieprawdopodobna. Pawełek! – do niej! Pani Pościkowa chyba w to nie uwierzy.

A jednak uwierzyła.

– No, ładne rzeczy – powiedziała surowo. – Po lekcji pójdziecie ze mną do waszego wychowawcy. Filipiakówna też, z powodu spóźnienia. – Nauczycielka westchnęła. – A to się ucieszy profesor Dmuchawiec...

Odwróciła się, a wtedy Cesia zaczęła sporządzać kolejną ściągaczkę. Była jeszcze nadzieja, że Danka zdąży odpisać.

8

Po dzwonku pani Pościkowa powiodła trójkę winowajców do pokoju nauczycielskiego. Cesia dotarła tam w całkiem niezłym nastroju. Dwója z klasówki rzecz nieprzyjemna, ale po pierwsze, dotąd miała z matematyki niezłe oceny, a po drugie, warto było! Danka patrzała na Cesię z oddaniem i wdzięcznością. Pawełek stroił głupie miny za plecami pani Pościkowej. Za oknem ukazało się słońce.

Nauczycielka zniknęła w żółtych drzwiach pokoju nauczycielskiego. Winowajcy mieli poczekać na wychowawcę. Pawełek zaczął to oczekiwanie od uchylenia żółtych drzwi, dzięki czemu widzieli i słyszeli wszystko, co działo się wewnątrz.

Dmuchawiec, siwy, z potarganą grzywą i dobrotliwym spojrzeniem zza niemodnych okularów, połknął był właśnie aspirynę i teraz oglądał sobie gardło, stojąc przed lustrem. Pani Pościkowa podeszła do niego, oparła się o umywalkę i półgłosem, zwięźle zreferowała zajście w klasie I b.

– No, i co pan na to, kolego?!

Dmuchawiec spojrzał na nią z rozpaczą spod zapoconych szkieł i bez słowa łyknął gorącej herbaty z termosu. Odkaszlnął i bezwładnie padł na krzesło.

– I to właśnie dzisiaj! – jęknął. – Jestem chory, a do tego zakładu przywiodło mnie wyłącznie poczucie obowiązku. Mam trzydzieści osiem i pięć, a pani mu tu taki numer wycina, moje złotko.

– Ja wycinam? – zdenerwowała się pani Pościkowa. – To Żakówna wycina. Trzeba uprzedzić jej rodziców!

– Nikogo nie będę uprzedzał – oświadczył Dmuchawiec. – Gdzie ta karteczka?

Wziął podany mu zwitek, nie czytając podarł i wrzucił do kosza na śmieci.

Pani Pościkowa usiadła wzdychając z rezygnacją.

– Podarł pan dowód rzeczowy – stwierdziła bezsilnie.

– Nie czytuję cudzych listów.

– To nie był list, tylko ściągaczka.

– List – rzekł z uporem Dmuchawiec. – List, jeśli wierzyć pani słowom, miłosny. Czytanie czegoś takiego budzi we mnie odruchowy protest. W dodatku oni wciąż jeszcze robią okropne błędy ortograficzne.

– No to co pan chce zrobić z tą sprawą?

– Zastanowię się – beztrosko odparł polonista, wycierając nos wielką chustką. – Bo dziś, szczerze mówiąc, najbardziej obchodzi mnie stan mego zdrowia.

– Pańska obojętność mnie przeraża! – powiedziała pani Pościkowa.

– Kocham młodzież i nie mogę spokojnie patrzeć na te wszystkie historie.

Dmuchawiec nagłym gestem przyłożył sobie dłoń do czoła, badając temperaturę. Pomilczał chwilę z zagadkowym wyrazem twarzy, gestem nakazując to samo pani Pościkowej. Wreszcie, względnie zadowolony z wyniku badań, oświadczył:

– Piramidon. Cudotwórczy lek. Jadła pani kiedy piramidon? – spojrzał na gniewną minę koleżanki i dodał czym prędzej: – Co do młodzieży, to ja tam jej nie kocham – zerknął ze skruchą. – Szczerze mówiąc, wielu z nich to nawet nie lubię, proszę pani. Ale w miarę sił – pospieszył z zapewnieniem – w miarę sił staram się być dla nich łagodny i wyrozumiały. Ostatecznie, każdy z nas musiał kiedyś przejść przez to piekło zwane młodością.

9

Cesia stała w kolejce po chleb. Była piętnasta dziesięć i Celestyna Żak stała w kolejce wijącej się przed piekarnią PSS przy ulicy Dąbrowskiego, tuż obok sklepu z sortami mundurowymi MO. W piekarni tej można było dwukrotnie w ciągu dnia dostać chleb świeży i chrupiący i dlatego właśnie tylko dwa razy dziennie formowała się tam kolejka.

Cesia posuwała się naprzód po pół kroczku, a minę miała bardzo zgnębioną. Owszem, trochę z powodu Dmuchawca. Nauczyciel nie omieszkał bowiem nabazgrać w jej dzienniczku uwagi na temat korzystania ze ściągaczek. Cesia miała pełną świadomość, że przy okazji podpisywania dzienniczka któreś z rodziców zauważy, że oberwała dwóję z klasówki. Ale to nie było groźne. Istotną przyczyną jej przygnębienia było to, że znów wracała ze szkoły sama.

W szatni po lekcjach był moment, kiedy Danka już-już podchodziła do Cesi z taką miną, jakby wśród przyjacielskich żarcików chciała zaproponować wspólny spacer. Ale w tej samej chwili wpadł do szatni Pawełek i władczo pociągając Dankę za rękaw, wywlókł ją ze szkoły. Widać ich było z okna: Danka zapadłszy w objęcia Pawełka oddalała się w stronę ulicy Grunwaldzkiej, nie obdarzając Cesi ani jednym spojrzeniem.

Kolejka przesunęła się przed ladą, gdzie leżały brązowe, lśniące bochenki. Cesia kupiła dwa, władowała je do torby z książkami i poszła. Żując oderwany od przylepki kawałek chleba dotarła przed swój dom, z daleka już przyglądając się jego dziwnej sylwetce. Każde niemal okno tej budowli było innego kształtu. Balkony były także różnorodne, zdobne w zacieki i łaty oderwanego tynku. Absurdalna wieżyczka z blaszanym kogutkiem wieńczyła całość dzieła secesyjnej myśli architektonicznej. Okno w kuchni Żaków było szeroko otwarte – zapewne ktoś już coś gotował. Cesia poczuła ssanie w żołądku i przyspieszyła kroku. „Ciekawe, dlaczego szyby u Nowakowskich takie okopcone" – pomyślała wchodząc do bramy wykładanej wzorzystymi kafelkami.

Wbiegła po ciemnych schodach i otworzyła drzwi mieszkania. Powietrze domu, nagrzane, pachnące kurzem, jakąś spalenizną, perfumami Julii, kiszoną kapustą i jeszcze czymś, nieuchwytnym, charakterystycznym i miłym, ogarnęło znękaną Cesię jak przyjazne ramiona. Było swojsko, dobrze i przytulnie.

Chociaż jakby coś się stało.

Celestyna udała się do dużego pokoju. Jak zwykle panował tam lekki nieład, ponieważ jedyny duży pokój w tym mieszkaniu służył rozlicznym okazjom. Umeblowany był bardzo dziwnie, na zasadzie koegzystencji pokojowej znajdowały się tu różne rzeczy – od regału Kowalskiego do biedermajerowskiej kanapki po babci Celestynie Żakowej. Nad kanapką, na tle ściany pokrytej przedwojenną tapetą w róże, panoszyła się podeschnięta palma, której nikt nie miał czasu pielęgnować, ale która ze zdumiewającą żądzą przetrwania wypuszczała wciąż nowe liście. Boczną ścianę zdobiły dwa bure olejne Kossaki w złotych ramkach oraz melancholijny pejzaż z dzikimi kaczkami. Mama Żakowa otrzymała wyraźny zakaz dotykania tych zabytków, kiedy po ślubie wprowadziła się do domu z wieżyczką. Dziadek oświadczył wówczas, że dla eksponowania dzieł poznańskiej awangardy plastycznej najlepiej się nadaje sypialnia młodej pary, i to tylko dlatego, że leży na uboczu mieszkania. Tak więc mimo iż w domu zamieszkała plastyczka, nastrój dużego pokoju nie uległ zmianie, co wyszło mu, przyznać trzeba, raczej na dobre. Kiedy wszakże w domu zjawił się Bobcio, salon Żaków stracił ostatnie ślady elegancji: na honorowym miejscu, na sosnowej półce, lśnił i błyszczał szkarłatny metalowy traktor, ukochana zabawka Bobcia. Pod nogami przewalały się klocki i żałośnie chrzęściły plastykowe żołnierzyki, którym co chwila ktoś miażdżył butem główki. W dywan wdeptane były banany i herbatniki, na tapetach widniały smugi czekolady, a z kanapki sterczał pęk włosia wydarty kołem zamachowym blaszanej wyścigówki.

W chwili gdy Cesia weszła do pokoju, na kanapce siedzieli przedstawiciele rodziny. Dziadek, najeżony i siwy, ciskał spod czarnych brwi iskrzące się gniewem spojrzenia. Po prawicy miał swojego syna, ojca Celestyny i Julii, który usilnie udawał groźnego tyrana, przybierając odpowiednią pozę i marszcząc jasne jak kłosy brwi nad jasnymi, poczciwymi oczami. Wciśnięta między tęgą sylwetkę Żaczka a bok kanapki jego siostra, czyli ciocia Wiesia, kuliła się w pozie winowajczyni. Natomiast jej synek Bobcio, stojący przed tym trybunałem, wydawał się raczej beztroski.

Tęga, czarnowłosa, rumiana mama Żakowa i Julia, jej o połowę szczuplejsza kopia, siedziały obok siebie na dostawionych z boku krzesełkach, gdyż na kanapce było miejsce tylko dla trzech osób. Tym samym powaga trybunału doznawała niejakiego uszczerbku, ponieważ obie artystki nie umiały przebywać ze sobą w milczeniu. To jedna, to druga wszeptywały sobie nawzajem do ucha najróżniejsze sekrety i ploteczki.

Wejścia Cesi prawie nie zauważono.

– ...i moje najlepsze, angielskie kalki! – ojciec Cesi kończył właśnie akt oskarżenia. – Co ty sobie właściwie myślałeś, Bobek?

– Myślałem sobie właściwie, że fajnie się palą – odpowiedział chłopczyk prawdomównie.

– Ale dlaczego właśnie kalki?

– Sam je palisz – wytknął Bobcio wujowi.

– Ale zużyte! Rozumiesz?

– Rozumiem – zgodził się Bobcio wpijając w wuja wierne i uczciwe spojrzenie.

– A firanki, firanki, panie tego?! – wtrącił ochryple dziadek. – Od firanek zazwyczaj zaczyna się...

– Pożar! – krzyknął Bobcio, który był dzieckiem mądrym i domyślnym.

Dziadek irytował się, kiedy mu przerywano lub, co gorsza, pozbawiano jego wypowiedzi puenty.

– Cicho bądź, smarkaczu! Czegoś to taki wesoły, hę?

– Bobeczku – wtrąciła mama Żakowa swoim ciepłym altem. – Czy ty się wcale nie boisz?

– A czego?

– Kary. Za ten pożar.

Bobcio zastanowił się głęboko, starając się wniknąć w samego siebie.

– Nie za bardzo – wyznał wreszcie.

– On sobie z nas bimba! – warknął dziadek.

– Hi, hi! – wyrwało się Bobciowi.

Cesia usiadła ze znużeniem przy wielkim stole.

– A co się właściwie stało?

– Bobcio usiłował w nocy podpalić dom – rąbnął ojciec.

– Aha – mruknęła Celestyna bez zdziwienia.

Zapadło niezręczne milczenie. Dorośli siedzieli sztywno, zastanawiając się, co należy uczynić, by – po pierwsze – jak najszybciej zakończyć tę przykrą scenę, a po drugie – dać Bobciowi należytą nauczkę i wykluczyć w przyszłości podobne wybryki.

– I w dodatku nie zamknąłeś kranu! – zbeształa kuzyna Julia, przy okazji sprawdzając, czy nie leci jej oczko na złocistej pończoszce.

– Woda się lała całą godzinę. Nowakowskim zalało tranzystor i świeżo upraną bieliznę.

– Ajent był, à propos? – zainteresował się ojciec, zwany w rodzinie Żaczkiem.

– Będzie niedługo.

– Nogi mnie bolą – poskarżył się Bobcio. – Wam to dobrze, wy sobie siedzicie.

– On sobie jawnie bimba! – huknął dziadek.

Mimo woli Żaczek wstał. Nieśmiałe promyki słońca zaigrały na jego łysiejącej głowie. Żaczek wpakował ręce do kieszeni rozwleczonego domowego swetra i rzekł, próżno usiłując nadać sobie wygląd marsowy:

– Słuchaj, mój chłopcze. Zastępując tu niejako twego ojca, który niestety, ehm, tego...

– Się rozwiódł – podpowiedział usłużnie Bobcio.

– Się rozwiódł – powtórzył speszony Żaczek. – No więc, zastępując tu niejako...

Matka Bobcia nagle opuściła utlenioną głowę i chlipnęła w garść. Była szczupłą, niedużą zmartwioną kobietką, którą życie darzyło wyłącznie rozczarowaniami. Kiedy ktoś taki chlipie w garść, powstaje obraz rozdzierający. Toteż Żaczek wyglądał, jakby krajało mu się serce. Mama Żakowa i Julia przycichły, boleśnie spoglądając na ciocię Wiesię, dziadek wzdychał dwanaście razy na minutę. Natomiast Bobcio ze skupieniem dłubał w nosie.

– Słowem... – męczył się Żaczek. – Niejako... Słuchaj, Bobcio, a może ty sam mi powiesz, jak mam cię ukarać?

– Zabij mnie – zaproponował Bobcio, szczerze zainteresowany tą niecodzienną perspektywą.

Słońce na dobre wylazło zza chmur i potok blasku wpadł do pokoju przez zakopcone szyby. Dziadek wstał, przeciągnął się, aż chrupnęły mu kości, i podszedł do okna.

– Robi się pogoda, panie tego – zauważył. – Nie darmo mnie w krzyżu łupało.

– Będzie mróz, słyszałam prognozę – wtrąciła mama Żakowa masując sobie pulchny podbródek. – Dobrze, że już skończyłam „Łabędzicę II", będą mogli ustawić w parku, zanim ziemia zamarznie.

– Co ma do tego twoja łabędzica? – spytał Żaczek, bezradnie mrugając jasnymi rzęsami. – Ja tu mówię o Bobku i jego występku.

– Ktoś dzwoni – powiedziała Celestyna.

10

Julia poszła otworzyć drzwi i po chwili wprowadziła do pokoju grubego pana w paltocie, ściskającego oburącz wypchaną teczkę. Nie był to ów zaprzyjaźniony ajent, który co roku pobierał opłaty za nową polisę. PZU tak często musiało interesować się żółtym domem z wieżyczką, że stosunki między lokatorami domu a personelem instytucji były niemal rodzinne.

– Rzucili watę! – powiedział konfidencjonalnie pan z teczką i uchylił jej rąbka. Istotnie, teczka była zapchana foliowymi paczuszkami w charakterystycznych barwach biało-zielonych. – Niech się pani pospieszy, pani Żakowa, bo wykupią.

Odstawił teczkę, rozejrzał się po licznym zgromadzeniu i wzrok jego zatrzymał się na ścianie balkonowej, gdzie widniały smugi sadzy, zacieki po wodzie, a nad wszystkim powiewał nie dopalony strzępek firanki.

– Oho – zauważył.

Bobcio podszedł bliżej z miną autora.

– Paliło się, co? – spytał retorycznie pan z PZU. – No, u państwa Nowakowskich straty już wyceniłem. Z odszkodowaniem zalaniowym nie będzie problemów. Li i jedynie. Natomiast tu – zbliżył się do ściany i potarł ją palcem. – Kto to podpalił? – spytał.

– Ja – rzekł Bobcio.

– Ile masz latek, kawalerze? – spytał pan, patrząc na Bobcia z urzędowym chłodem.

– Prawie sześć – odparł Bobcio. – Li i jedynie.

Żaczek stłumił chichot, ciocia Wiesia przygryzła wargi, natomiast pan z PZU milczał, obmierzając ścianę za pomocą niklowanej, składanej miareczki.

– Kapnie tu państwu z tysiączek odszkodowania – ocenił wreszcie.

– Ale tylko dzięki temu, że dziecko nieletnie. Będzie z tysiączek. Tylko i li.

– Słyszycie?! – zakrzyknął Bobcio, łapiąc się za główkę.

– Tak, tysiączek – upewniał pan z PZU.

– Jeszcze na mnie zarobicie! – wyło uszczęśliwione dziecko.

Żaczek poderwał się z miejsca jak ukłuty.

– Nie, no coś podobnego!

– To nie może być! – dołączył dziadek.

Pan z PZU był zgorszony.

– Panie Żak, naprawdę, więcej się nie należy...

Żaczek zamachał rękami.

– Ależ... pan nie rozumie! My absolutnie nie możemy przyjąć tych pieniędzy!

– Coś pan, panie?! – zachłysnął się przedstawiciel PZU.

– Za nic w świecie – poparł syna dziedek. – Za żadne skarby, panie tego.

– Ze względów wychowawczych – wyjaśnił Żaczek.

Posadzili grubego na kanapie i zaczęli mu wyjaśniać dobitnie i zawile, dlaczego nie mogą przyjąć odszkodowania.

W tym samym czasie mama i Julia zagłębiły się w cichej rozmowie zapominając zupełnie o przyczynie zgromadzenia. Mama po chwili wstała i przykładając do swych obfitych kształtów zwoje brunatnego kaszmiru, radziła się Julii co do fasonu. Julia siedziała z niewymuszonym wdziękiem, wysmukła i elegancka, założywszy jedną piękną nogę na drugą, mrużąc swoje hiszpańskie oczy i wydymając śliczne usta. Cesia przyglądała się siostrze ponuro, ze wszystkich sił starając się nie dopuścić do swej duszy trawiącego jadu zawiści.

– Ale, proszę panów... – wił się na kanapce ajent. – Niechże mnie panowie zrozumieją... Istnieją przepisy i ja ich muszę przestrzegać...

Ciocia Wiesia uznała, że jej rola w zebraniu już skończona, i wymknęła się do kuchni, skromnie zajmując jak najmniej miejsca w przejściu. Po chwili z kuchni dobiegł szczęk garnków i napłynął zapach smażonej cebuli. Celestyna westchnęła z ulgą. Jak to dobrze, że w domu jest ciocia Wiesia!

Ciocia Wiesia, dobry duszek kuchenny, pojawiła się na powrót w swym domu rodzinnym wkrótce po rozwodzie, który miał miejsce niespełna rok temu. Zastała sytuację jasno określoną; ponieważ na Julię i mamę nie można było liczyć w dziedzinie twórczości kulinarnej, obiady gotowała Celestyna. Co do reszty zajęć domowych, mama Żakowa udzielała im swojej uwagi tylko z konieczności, natomiast Julia nie przykładała się do nich wcale. Był wprawdzie w życiu rodziny długotrwały okres, kiedy usiłowano przyuczyć Julię do pracy i wdrożyć ją do tych wszystkich czynności, które są, niestety, nieodłącznym składnikiem losu każdej kobiety. Julia wszakże szybko zrozumiała, że jeśli przy każdym myciu naczyń stłucze minimum jedną szklankę, zaszczyt pomagania mamusi zostanie jej odjęty. I tak się stało. Natomiast rzetelna Celestyna pracowała wciąż z tą samą ofiarnością, nic nie tłukła i jeszcze była dumna ze swej zręczności. Z wolna całe gospodarstwo znalazło się na jej głowie.

Ciocia Wiesia pracowała jako retuszer na oddziale rotograwiury, co oznaczało, że nie ma jej w domu od rana do obiadu lub od obiadu do wieczora, w zależności od tego, na którą zmianę chodziła do pracy. Ciocia samorzutnie wzięła na siebie część obowiązków domowych, kiedy tylko zamieszkała w domu z wieżyczką. Była to jednak pomoc z konieczności niesystematyczna. Tak czy inaczej, Cesia była kariatydą kuchenną rodziny.

Teraz podniosła się ze swego miejsca i skierowała ku wyjściu. Należało pomóc cioci Wiesi, która miała dziś za sobą niewątpliwie ciężkie przeżycia. Idąc do drzwi Cesia usłyszała jeszcze, jak przedstawiciel PZU, który wciąż się wzbraniał przed niedopełnieniem obowiązków służbowych, poddany zostaje próbie przekupienia. Mama mianowicie proponowała mu łapówkę w postaci rzeźby ceramicznej stołowej pod tytułem „Fryne III".

11

Po upływie pół godziny Żakowie zaczęli gromadzić się przy stole. Nikt już nie pamiętał o ajencie, który odszedł pokonany, unosząc łapówkę ceramiczną. Ciocia Wiesia skończyła smażenie. Bobcio, jako przyszłość narodu, uhonorowany został kotlecikiem z marchewką. Dla reszty rodziny były pierogi ruskie z mrożonki oraz kapusta. Potrawy te wywołały swym pojawieniem się falę narzekań. Przy stole brakowało dziadka, który po wyjściu ajenta udał się do swego pokoju, zapadł w lekturę i nie docierały do niego żadne zewnętrzne sygnały.

Dziadek był na emeryturze od dwóch trudnych lat. Z zawodu inżynier z przedwojennym dyplomem, co często podkreślał, wiódł dotąd zawsze życie czynne. Kiedy go zmuszono, by przestał pracować i brał za darmo pieniądze od skarbu państwa, odczuł to bardzo boleśnie. Pewną pociechę stanowił dlań fakt, że wciąż zwracano się do niego z prośbami o fachowe konsultacje, a także to, że znalazł sobie frapujące zajęcie. Postanowił mianowicie nadrobić zaległości w czytaniu, które gromadziły mu się przez całe życie, ponieważ nigdy dotąd nie miał dość czasu na smaczną, długą, pełną namysłu lekturę dzieł literatury pięknej. Jako człowiek systematyczny i wewnętrznie zorganizowany dziadek ustanowił sobie prosty system: wizytował pobliską bibliotekę publiczną i wypożyczał w porządku alfabetycznym wszystko, czego jeszcze nie czytał. Z pobudek patriotycznych zaczął od regału z literaturą polską. Pod koniec drugiego roku emerytury, przy literze „W", odnowił starą znajomość z Wańkowiczem. Owocem tego spotkania stał się pseudonim Celestyny, zaczerpnięty z „Ziela na kraterze".

Cielęcina właśnie stawiała na stole ostatni talerz z pierogami, potykając się co chwila o rozrzucone zabawki Bobcia, kiedy w korytarzu rozległ się dzwonek.

– To ajent. Li i jedynie – powiedział Żaczek, mrugając do żony. – Obejrzał sobie Fryne i spiesznie odnosi.

Ale na progu zjawiła się ciocia Wiesia, wiodąc zmarzniętą i bladą Dankę Filipiak.

Cesia stanęła jak wryta.

– Dzień dobry... – zbolałym głosem przemówiła Danka. – Cesiu, czy nie przeszkadzam? Muszę z tobą pomówić...

Nie dano jej dojść do słowa. Tato Żak zmusił ją, by siadła przy stole, i nałożył na talerz solidną porcję. Pierwsza przyjaciółka, odkąd Cielęcina, biedactwo, poszła do liceum! Takiego gościa należało ufetować.

– Pierożków? – spytał uwodzicielsko Żaczek.

Danka zgodziła się ochoczo, uśmiechając się przez stół do Celestyny.

„O Boże – modliła się Cesia. – Żeby tylko rodzina nie zaczęła tych swoich numerów".

– Ja nie jestem głodny! – zawiadomił świat Bobcio, mrugając oczkami i wydymając różowe usteczka. – Zjem tylko trochę marchewki, w marchewce jest witamina M.

– A w kotlecie witamina K – powiedziała przebiegle ciocia Wiesia. Bobcio miał chysia na temat witamin, co należało inteligentnie wykorzystać.

– Co za mania jakaś – naigrawał się ojciec Cesi. – Czy kto widział kiedy witaminę?

– Ja widziałem! – ofuknął go Bobcio, srogo marszcząc jasne brewki. – Była zielona i łaziła po talerzu.

– Duża była, mniej więcej? – dopytywał się Żaczek, zachowując całkowitą powagę.

– O, taka – pokazał Bobcio. – Tu miała takie kropki. Wyglądała bardzo zdrowo.

– Nie może być.

– Powiedziała mi, że jak nie zjem sałaty, to nigdy nie zostanę strażakiem pożarnym.

– O Boże – powiedział Żaczek. – To byłoby tragiczne.

– Tragiczne – powtórzyło dziecko, lubując się nowym słowem.

– Tragiczne, psiakrew.

– Syneczku!!!...

– Tragiczny krwawy kotlecik – powiedział Bobcio dobitnie.

Cesia siedziała jak na roju os. Co sobie Danka pomyśli o jej rodzinie? Jak dotąd, zaprezentowali się jej w fatalnym świetle. A przecież wszystko jeszcze mogło się zdarzyć.

Wszedł dziadek z nosem w lekturze. Niedawno rozpoczął okres francuski, co go całkowicie pochłonęło. Oderwać go od czytania mógł wyłącznie pożar. Senior rodu usiadł nieuważnie za stołem, sięgnął po omacku po łyżkę i spróbował kapusty nie przestając czytać.

– Dziadziu – niemal jęknęła Celestyna. – Mamy gościa.

Dziadek jakby się ocknął.

– Ach, tak – bąknął w roztargnieniu, prawie nie patrząc w stronę Danki. – Pani wybaczy, że czytam, ale ten cały Barbusse śmiertelnie mnie nudzi.

– Tragiczny krwawy barbus – powiedział Bobcio, żując niechętnie marchewkę.

Cesia bała się choćby spojrzeć na swoją imponującą koleżankę. A tymczasem rodzina zgromadzona przy stole poczynała sobie z gościem tak swojsko, jakby nie miał on tych uduchowionych oczu i tajemniczego wyrazu twarzy. O wstydzie, ojciec nawet pozwolił sobie na grubiańskie żarty, twierdząc, że Danka ma z pewnością powód, by myśleć o niebieskich migdałach – ponieważ na pewno posiada trzeci, i to powiększony... Och, jakby to było cudowne móc cofnąć czas... Nie o wiele, o dziesięć minut. Dzwonek zadźwięczałby, kiedy Cesia była w kuchni. Mogłaby sama otworzyć i uprowadzić Dankę gdzieś na ubocze. A tak, to...

Odważyła się spojrzeć na Dankę, spodziewając się najgorszego. Na rusałczanej twarzy gościa malował się jednak wyraz pobłażliwego rozbawienia. Danka jadła z apetytem i nawet jakby stawała się nieco mniej uduchowiona. „To wpływ tej mojej rodziny – pomyślała Cesia. – Oni są tak beznadziejnie konkretni".

Wreszcie można było wstać od stołu.

– Idźcie, kochane dziewczynki – powiedziała z uczuciem ciocia Wiesia. – Ja pozmywam, ja wszystko rozumiem, także kiedyś byłam młoda. Idźcie, idźcie do siebie.

„Do siebie". Dobrze powiedziane. Tuż przed drzwiami Cesia uświadomiła sobie, w jakim stanie zostawiła dzisiaj wnętrze panieńskiego pokoiku. Ohyda. Niestety, w domu nie było żadnego innego pomieszczenia, w którym dwie dorastające osoby płci żeńskiej mogłyby się pogrążyć w kulturalnej rozmowie. W kuchni panował bałagan.

W pokoju dziadka nie wolno, bo gdzież by się zmagał ze swoim Barbussem, zresztą, nie było precedensu, pokój dziadka to sanktuarium. U rodziców wszędzie pełno gliny i gipsu, po kątach straszą kikuty nie dokończonych rzeźb na indywidualną wystawę mamy; wyjątek stanowi kąt za segmentem Kowalskiego, gdzie ojciec ma swoją pedantycznie czystą pracownię. Tam też jednakże zwykł był ucinać sobie drzemkę po obiedzie.

Cesia westchnęła. A więc niestety...

Przestrzegła Dankę, że w pokoju trochę nieporządnie i trwożnie pchnęła drzwi.

O, cudzie! Julia sprzątnęła!

Był to nieomylny znak, że pracowała. Zawsze przed zrywem do poważnej pracy twórczej Julia myła podłogę, a czasem nawet okna w razie potrzeby. Wszystko wokół lśniło, powietrze wypełniał zapach świeżych firanek i deszczu. Lekki zgrzyt w tej symfonii czystości stanowił wielki stół Julii, pokryty górą pociętych papierów, otwartych słoików z plakatówką i dziesiątkiem naczyń z brudną wodą od pędzli. Pośrodku zabryzganego farbą i klejem brystolu bielił się duży prostokąt – ślad po dziele sztuki, z którym Julia niechybnie poleciała na zajęcia.

Cesia posadziła Dankę na tapczanie.

– Fajnie, że wreszcie wpadłaś – powiedziała przełamując onieśmielenie.

– Musiałam ci podziękować. Miałam taką wewnętrzną potrzebę – odparła Danka. – Jej głos brzmiał dystyngowanie i wieloznacznie.

– Nie ma za co – odparła Cesia prostodusznie i w tej samej chwili zaczęła mieć wątpliwości, czy aby na pewno należało tak odpowiedzieć.

– Paweł postąpił obrzydliwie. Nikt dla mnie nie zrobił tyle, co ty. I tak bezinteresownie – ciągnęła Danka, przymykając swoje zamglone oczy.

– Nie ma o czym mówić – Cesia brnęła w banały.

– Jestem samotna – powiedziała Danka z przejmującym smutkiem i spojrzała prosto w oczy Cesi.

Celestyna nabrała powietrza. Samotna, mój Boże.

– Tak? – spytała idiotycznie.

– Zupełnie samotna – powtórzyła Danka.

– A... Paweł? – odważyła się spytać Cesia.

– Nie jestem dla niego człowiekiem. Moje życie wewnętrzne zupełnie go nie interesuje.

Cesia westchnęła ze współczuciem.

– Potrafi tylko pytać, czemu jestem taka drętwa. A czy ja to umiem wytłumaczyć? Boję się życia. Cesiu, czy ty też boisz się życia?

– Każdy się boi.

– Świat jest taki obcy i nieprzychylny...

– To prawda – przyznała Cesia. – Jak tylko wyjdę za próg domu, to czuję się, jakbym wskoczyła do lodowatej wody... nie, to głupie, co mówię...

– Przeciwnie, bardzo interesujące – powiedziała Danka bez zainteresowania. – A mnie się nic nie chce... pewnie mnie z budy wyleją... wcale się nie uczę. Całymi godzinami tylko słucham płyt. Patrzę w ścianę, słucham i spokój mnie ogarnia.

– Masz chandrę?

– Zawsze ją mam – jęknęła Danka. – Ja, wiesz, po prostu nie widzę sensu w tym wszystkim. Po co się uczyć? Po co się męczyć? W końcu i tak umrę, jak wszyscy.

– Po prostu chandra – stwierdziła Cesia, czując się nareszcie pewnie na znanym sobie gruncie. – Na to jest kilka dobrych sposobów. W zależności od stopnia natężenia można...

– Jestem samotna – przerwała jej Danka, patrząc smutno w sufit.

– Jeśli chcesz – powiedziała Cesia z głębi serca – mogę być twoją przyjaciółką. Słuchaj, od jutra uczymy się razem, zgoda?

– Mówisz to z litości... – jęknęła Danka. – A ja nie jestem tego warta. Jestem taki słaby, bezwolny mięczak...

– To nie bądź mięczak – poradziła jej krótko Cesia, która powoli zaczynała mieć dosyć. – Trzeba się wziąć w garść. Na takie depresje najlepiej robi dużo pilnej pracy. Takiej z widocznymi efektami.

– Przeciwnie... właśnie dużo pracy zawsze mnie załamuje.

– Lenistwo – krótko stwierdziła Cesia. – Najłatwiej jest machnąć ręką na wszystko. Mama zawsze powtarza, że pracować nad sobą trzeba do końca życia, bo zawsze jeszcze można coś poprawić.

Rozległ się śmieszek.

– Ja bym nie powiedział – rzekł ojciec Celestyny. Stał oparty o drzwi i najspokojniej podsłuchiwał. Cesia aż krzyknęła z oburzenia:

– Podsłuchujesz?

– Skądże znowu – wyjaśnił. – Przyszedłem tylko zapytać, czy nie napiłybyście się kompotu. Ciocia Wiesia mnie z tym przysłała.

– Mogłeś chociaż chrząknąć! Albo zapukać! – Cesia była bliska płaczu. Co za wstyd, doprawdy, podsłuchują, wtrącają się do rozmowy, nie, to nie do wytrzymania.

– Drzwi były otwarte – bronił się Żaczek. – To co z tym kompotem?

– Nie chcemy! – ucięła Cesia ze złością.

– Ja bym się napiła... – Danka uśmiechnęła się nieśmiało do Żaczka.

– Przepraszam cię za tatę – powiedziała Cesia, jak tylko ojciec oddalił się w stronę kuchni.

– No, coś ty? Masz strasznie fajną rodzinę! – z przekonaniem krzyknęła Danka. – Słuchaj, a jak oni reagują na twojego chłopca?

– Wcale nie reagują, bo go nie mam – przyznała mężnie Celestyna.

– Nie żartuj! Jak to – nie masz?

– Po prostu. Nikomu interesującemu nie wpadłam w oko.

– Podziwiam cię! Masz odwagę być sama!

– Raczej nikt mnie nie chce – Cesia uśmiechnęła się smętnie.

– Przecież jesteś bardzo ładna! – zawołała Danka, spontanicznie przejmując rolę pocieszycielki.

– Skądże – powiedziała Cesia jeszcze smętniej.

– Śliczna!

– To ty jesteś śliczna – Cesia z zawiścią spojrzała na Danusię.

– Nienawidzę swojej gęby – wyznała Danka ponuro.

– Ty chyba oszalałaś?! – zdumiała się Cesia. – No, chodź, chodź do lustra, zobacz, jaką masz twarz pełną wyrazu, a ja? Różowy kartofel. Cielęcina.

– Nie, nie, to ty właśnie masz twarz pełną wyrazu! – upierała się Danka kurtuazyjnie.

– Nic podobnego. Ty!

– Ja nie! Ty!

– Mówię ci, że właśnie ty i koniec!

– O, Boże – jęknęła nagle Danka. Odwróciły się od lustra i na widok swoich min wybuchnęły dzikim śmiechem.

– Lubimy to słyszeć, co?

– Próżne idiotki.

– Tylko nam to mów i mów. Żeśmy takie śliczne.

– Oni lubią śliczne.

– No właśnie. Czytałaś w „Filipince"? Dziewczyny najbardziej cenią w chłopcu inteligencję i poczucie humoru.

– A oni?

– Jeszcze się pytasz. Oczywiście, żeby była śliczna i dobrze gotowała.

– Coś takiego.

– Tak jest.

– Co za głupki.

– Niedoczekanie takiego, żebym mu gotowała i skarpetki prała.

– Niedoczekanie jakiego?

– Pawła na przykład. Ten człowiek mnie irytuje. Wczoraj zrobił mi straszną scenę zazdrości, a dzisiaj napisał dla mnie sonet.

– Żartujesz.

– Skąd. Regularny sonet napisał. Byłam zachwycona, dopóki mi mama nie powiedziała, że Pawełek żywcem odpisał z Szekspira.

– No, pewnie sam nie umiał – powiedziała Cesia tolerancyjnie.

– Na to wygląda – kwiknęła Danka, spojrzały na siebie i padły na tapczan w ataku śmiechu. Trwało to aż do kompletnego wyczerpania.

– Od jutra – przemówiła wreszcie Cesia, ocierając łzy i śmiejąc się po raz ostatni. – Od jutra uczymy się razem, zgoda?

– Dobrze. Jesteś fajna.

– Pomogę ci w matmie i w ogóle we wszystkim. W końcu to żadna filozofia.

– Pewnie. Jak taka Kowalczuk może mieć dobre i bardzo dobre... – pocieszała się Danka.

– No więc właśnie. Będziesz przychodzić co dzień, zgoda?

– No... nie wiem, czy Paweł pozwoli...

– Jak uważasz – powiedziała Cesia trochę sztywno i zmieniła temat.

Żaczek był tak spłoszony przez córkę, że ruszył się z kuchni dopiero, kiedy usłyszał trzask drzwi wejściowych, zamykających się za Danką.

– W Cielęcinę diabeł wstępuje przy obcych – oświadczył.

– Dajże jej spokój – mitygowała ciocia Wiesia. – Tak jej zależy na tym, żeby dobrze wypaść.

– Ale co ona tak się stara dla tej chuderlawej pannicy? – zirytował się Żaczek.

Właśnie w tej chwili weszła Cesia.

– Chuderlawej?! – krzyknęła. – Danka jest prześliczna! Ty już, tato, w ogóle nie widzisz bez okularów!

– Bez okularów widziałem tylko, że ma wciąż nie domknięte usta. – odgryzł się urażony Żaczek. – Stąd właśnie moja subtelna aluzja na temat trzeciego migdała. A w ogóle, to możecie mnie nazwać zarozumialcem, ale najbardziej podobają mi się moje własne dzieci – z zachwytem przyjrzał się Celestynie. – Zdrowe to, przy kości, pycho czerwone, oczki żywe, całość dobrze odżywiona, aż błyszczy. Zupełnie co innego niż tamta, z przeproszeniem, galareta.

„Przy kości! Pycho czerwone” – gdyby Żaczek wiedział, jak boleśnie zranił uczucia swojej córki, wolałby zapewne milczeć przez okrągły tydzień.

II

1

Zupełnie niespodziewanie spadł śnieg. Nie było w tym, co prawda, nic anormalnego, albowiem była właśnie zima. Tyle, że w tym roku grudzień podobny był do deszczowego listopada i nikomu z mieszkańców Poznania nie śniło się nawet, że będzie śnieg na Gwiazdkę. A jednak – tuż przed świętami pierwsi poranni przechodnie ze zdumieniem ujrzeli świat odmieniony, przykryty niewinną bielą, idyllicznie cichy.

Jerzy Hajduk stał przy otwartym oknie i łykał pachnące śniegiem powietrze. Ulica Sienkiewicza była jeszcze pusta, ruch zaczął się tylko w sklepie spożywczym, na parterze bloku. Było zimno, ale na to zjawisko Jerzy Hajduk nie zwracał najmniejszej uwagi. Stał w piżamie przy oknie i patrzał ponad dachami domów na czubek żółtej wieżyczki, oświetlony słabym blaskiem ulicznej lampy jarzeniowej. Nic więcej nie mógłby zobaczyć, choćby nawet wywiesił się z okna do połowy. A mimo to od trzech miesięcy, co rano po przebudzeniu, stawał w oknie i patrzał w stronę domu Celestyny.

Jerzy Hajduk był człowiekiem samotnym. Od wczesnego dzieciństwa wychowywała go babcia, ponieważ rodzice chłopca nie żyli już od dawna. Pochodził z małego miasteczka, gdzie nie było szkoły średniej, a że babcia miała ambicje wychować go na człowieka wykształconego, został wysłany do Poznania, do liceum. Pokój wynajęto u pani Piórek, która była osobą godną zaufania przede wszystkim dlatego, że pochodziła z tego samego miasteczka co rodzina Hajduków. Poza tym, rzecz bardzo ważna, nie była owa starsza dama zwolenniczką wygórowanych opłat za wynajmowanie pokoju. Mieszkało się u niej dobrze, dostawało się kolację i śniadanie, a obiady jadało się w barze mlecznym.

Jerzy Hajduk był mrukliwym, nieśmiałym, piekielnie zdolnym i oczytanym młodzieńcem. Dwie ostatnie cechy wciąż jeszcze nie zostały ujawnione w szkole, ponieważ przeszkadzały temu dwie pierwsze. Jerzemu wszakże nie wadził brak publicznego uznania. Był całkowicie

pochłonięty studiowaniem uniwersyteckich podręczników fizyki oraz „Rozmyślań" Marka Aureliusza. Zajmowało to jego uwagę do tego stopnia, że nie starczało już czasu na kwestie związane z ubraniem, wyglądał zatem niezachęcająco, jeśli przyjąć punkt widzenia dziewcząt w jego wieku. Dziewczętom zresztą również nie udzielał uwagi. Z wyjątkiem Celestyny.

Ale Celestyna oczywiście była wyjątkowa. Lubił na nią patrzeć. To wszystko. Lubił w ogóle wszystko, co miało jakikolwiek z nią związek. Na przykład jej dom, jej ulicę, jej botki, jej ojca i chleb wielkopolski, który kupowała codziennie, co pozwalało się domyślać, że lubi ten gatunek specjalnie. Wszystko, co dotyczyło Celestyny, było tajemnicze i wyjątkowe, opromienione tęsknym urokiem, pełne zagadek i baśniowego czaru.

Był strasznie ciekaw, jak tam jest wewnątrz, w tym dziwnym domu. Usiłował sobie wyobrazić jego mieszkańców, tych miłych opanowanych rodziców, jakich się domyślał, i tę elegancką, subtelną siostrę Cesi, którą kiedyś widział z daleka. I ją samą – tę zawsze wyniosłą, śliczną, zagadkową Celestynę o zielonych oczach, która spojrzała na niego zaledwie trzy razy od rozpoczęcia roku szkolnego. Co ona teraz robi?

Wyobraźnia podsunęła mu migawkowy obraz wykwintnie nakrytego stołu, przy którym gwarząc cichymi głosami siedzi rodzina Żaków, zaledwie skubiąc palcami jakieś delikatne bułeczki.

Spojrzał na zegarek. Trzeba się spieszyć. Stanąć w ukryciu przed domem Cesi i czekać. Na pewno będzie dziś wesoła. Na pewno lubi śnieg.

2

Pierwszy obudził się Żaczek. Wylazł niechętnie z łóżka i po ciemku, żeby nie budzić żony, narzucił na siebie jakieś okrycie. Potem poczłapał do kuchni, żeby nastawić wodę na kawę.

W kuchni zastał obrzydliwy bałagan. W zlewie piętrzyła się góra naczyń, na środku zasypanego okruchami stołu bielała kałuża mleka.

– A więc zmywać miała Juleczka – stwierdził ojciec na głos. – Ciekawa rzecz, jak to od razu widać.

Wyjął z szafki duży garnek i napełnił go zimną wodą. Potem w całkowitym spokojem udał się do pokoiku córek.

Dziewczyny jeszcze spały. Pokój zasnuty był mrokiem, wobec czego Żaczek uznał za stosowne zapalić lampę pod sufitem.

Potok blasku lunął na pokój. Zaszokowana Cesia zerwała się natychmiast. Julia spała nadal snem kamiennym.

– Cielęcino – łagodnie przemówił ojciec. – Czy wiesz, o której wróciła wczoraj twoja siostra?

– N-n-n-wym – wymamrotała nieprzytomnie Cesia, zastanawiając się mętnie, czy ojciec w błękitnym atłasowym szlafroczku damskim, przyciskający do brzucha czerwony garnek, należy do świata snu czy też jawy.

– Pytam, o której wróciła Julia – powtórzył ojciec tonem nie wróżącym nic dobrego.

W Cesi się nagle obluzowało i padła bezwładnie na poduszki.

– Nie mam pojęcia – pisnęła słabo. – Czy to wszystko?

– Jeśli chodzi o ciebie – tak – odparł ojciec z godnością. – Możesz sobie spać.

Zaczerpnął dłonią lodowatej wody z garnka i wylał wolniutko na szyję starszej córki.

Julia zerwała się z przeraźliwym wrzaskiem. Celestyna, która po zezwoleniu ojca walnęła się była w pościel i nawet zdążyła się już zdrzemnąć, teraz skoczyła na równe nogi dygocąc jak w febrze.

Żaczek wyglądał jak Dżingis Chan – nawet mimo szlafroczka.

– Wstawaj, brudasie – rzekł z mocą. – Do garów!

– Na litość boską – powiedziała Julia płaczliwie – całą noc chałturzyłam. Przed chwilą zasnęłam. Kto mnie budzi i po co? Czy to sala tortur?

– Na szczęście dziś się nie spieszę – powiedział Żaczek. – Na szczęście mam dziś konferencję. Na szczęście mogę cię zmusić do godziwej pracy. Wstaję rano, wchodzę do kuchni i cóż widzą moje spracowane oczy? – zamarł z pytającym wyrazem twarzy.

– Cóż widzą? – spytała Julia bezsilnie.

– One widzą płody twego lenistwa. To ty miałaś wczoraj umyć naczynia. Czyż matka, pochłonięta sztuką, czyż wiekowy starzec, czyż uczące się dziewczę mają wykonywać twą pracę tylko dlatego, że jesteś niechlujem?

– Czemu nie – odparła Julia grubiańsko. – Niech wykonują.
– Nie wstaniesz i nie umyjesz?
– Ależ wybij to sobie z głowy – powiedziała Julia i zaryła się w pościel.
– A to ja ciebie obleję – zdecydowanie oświadczył Żaczek nabierając wody w dłoń. – No, jak będzie? – i chlapnął na plecy Julii.
Kolejny wrzask rozdarł powietrze.
– Nie lubię, jak masz konferencje – powiedziała z trudem dochodząc do siebie. – Boże święty, ja żyję w domu wariatów.
I wstała.
– No widzisz, złotko – pochwalił ją Żaczek. – Co w tobie lubię, to twój niezawodny rozsądek. Myj naczynka, a potem rób nam wszystkim śniadanko. Jak ci urządzę co dzień taką pobudkę, to może wcześniej będziesz chodziła spać.

Zadowolony z siebie udał się do łazienki. I tu dopiero spostrzegł rozmiary swego błędu. Za dwadzieścia minut powinien się znajdować na przystanku autobusu pospiesznego „B" – umyty, ogolony, ubrany. Tymczasem własnoręcznie przez niego obudzona córka myła naczynia, co wobec pradawnej konstrukcji systemu gazowego uniemożliwiało korzystanie z ciepłej wody po drugiej stronie ściany, to znaczy w łazience.

Żaczek uświadomił sobie swą klęskę dopiero w momencie, gdy na jego twarzy pienił się gęsto rozmazany krem do golenia. Z kranu kapała niespiesznie zimna woda, a mycie się zimną wodą w grudniowy poranek, w lodowato zimnej łazience, było czymś, co przekraczało Żaczkowe możliwości. Łamiąc palce zastanawiał się, co wobec tego mógłby zrobić? Nakazać Julii przerwę w pracy? – odpada. Natychmiast wróciłaby do łóżka, a to by zniweczyło pozytywne efekty jego nowej metody wychowawczej. Więc może zagrzać trochę wody w garnku? Wykluczone. Musiałby stać w kuchni i czekać, a wtedy Julia pękłaby z mściwego śmiechu. Żaczek postanowił więc udawać, że nie ogolił się przez zwykłe roztargnienie. Zdecydował zetrzeć z twarzy krem do golenia, ubrać się, zjeść śniadanie i dopiero przed samym wyjściem, kiedy Julia skończy użytkowanie ciepłej wody, zlikwidować dwudniowy zarost i umyć się pobieżnie.

Zaledwie wszakże zaczął wycierać policzek, tknęło go przypomnienie, że przed chwilą wycisnął ostatki z tuby swego kremu „Pollena". Jeśli zetrze to, co ma na twarzy, nie będzie się miał potem czym ogolić. Zgrzytając zębami Żaczek ubrał się pospiesznie, patrząc co chwila na zegarek. Ratunek widział tylko w Celestynie.

– Cesia! – szepnął przenikliwie, targając córkę za ramię. – Ratunku!

Cesia podskoczyła jak na sprężynie i obudziła się z bijącym sercem.

– Któ...ra godzina?

– Późna! – szepnął ojciec. – Pomóż, ratuj, idź do kiosku. Nie mam ani odrobiny kremu do golenia.

– Dobrze – jęknęła Cesia i zwlekła się z pościeli. Mimochodem, przez zapuchnięte powieki, spojrzała na ojca. – Ależ ty masz krem. Na twarzy.

– Tak – cierpliwie przyznał Żaczek. – Ale to nie do golenia.

– A do czego?

– Do starcia.

Cesia znieruchomiała na dłuższą chwilę.

– Dlaczego? – spytała, wlepiając w ojca nieobecne spojrzenie.

Żaczek zastękał. Tłumaczenie wszystkiego od początku było w tej sytuacji nie do pomyślenia.

– Idź do kiosku, ale już!

Podczas gdy półprzytomna Celestyna przykładała do siebie przypadkowe fragmenty garderoby, Żaczek pobiegł z powrotem do łazienki.

Tu skamieniał z ręką na klamce.

W czasie jego krótkiej nieobecności do łazienki wdarł się dziadek. Drzwi były zamknięte na zasuwkę. Wewnątrz głośno rozbrzmiewała tęskna dumka:

– „...Hej, hej, Ojcze Atamanie!" – śpiewał dziadek ochrypłym głosem. Sądząc z wyraźnie dosłyszalnego szumu wody, dziadek znajdował się pod prysznicem.

Z piersi Żaczka wydarł się bolesny jęk. A więc przegapił sprawę. Fakt, że dziadek zażywał tuszu, oznaczał, że Julia skończyła zmywanie. Ciepła woda była znów osiągalna. Lecz nie dla Żaczka, niestety.

Zajrzał do kuchni.

Julii nie było. Umyte powierzchownie trzy talerze stały na suszarce. Reszta naczyń w stanie nie zmienionym spoczywała w zlewie. Kałuża na stole nie zmniejszyła się ani o milimetr.

Śpiew w łazience przybrał na sile.

– „...I wiatr usnął na kurhanie i zasnęła woda w Dnieprze" – nawoływał dziadek melancholijnie.

Żaczek wpadł w szał. Kłapiąc pantoflami pobiegł do pokoju córek. Ujrzał tam Julię słodko śpiącą wśród miękkich poduszek. Blada, słaniająca się na nogach Cesia po omacku szukała pantofla.

– Aaaa!!! – ryknął ojciec, doprowadzony do ostateczności.

Cesia podskoczyła i otworzyła oczy.

– Już lecę, już lecę – przeraziła się, i tak jak stała, wypadła z pokoju.

Oto dlaczego romantycznie nastrojony Jerzy Hajduk, który czaił się za kioskiem „Ruchu" naprzeciwko domu Cesi, z najwyższym zaskoczeniem ujrzał przedmiot swych uniesień pędzący przez jezdnię w filcowych bamboszkach, czerwonej sukni narzuconej na piżamę i z jedną pończochą powiewającą z nogawki.

3

Profesor Dmuchawiec mieszkał przy ulicy Roosevelta. Obudził się wcześnie, bo pod pobliskim Mostem Teatralnym przejechał właśnie głośno ryczący pociąg elektryczny. Profesor wstał, odział się w szlafrok i wyjrzał przede wszystkim przez okno, chcąc się przekonać, jaką temperaturę wskazuje termometr. Stwierdziwszy, że słupek rtęci zjechał do minus dwóch, ziewnął, zawiązał pasek szlafroka i zapalił papierosa. Wtedy rzuciło mu się w oczy, że jest jakoś biało.

Dmuchawiec lubił śnieg. Ale raczej w telewizji. Podobały mu się zwłaszcza skoki narciarskie i w ogóle te konkurencje, w których stopień ryzyka był dosyć wysoki. Oglądając coś takiego pławił się w zadowoleniu, iż nigdy nie przyszło mu do głowy, by zostać sportowcem. Co do opadów śnieżnych – nie przepadał za tym zjawiskiem. W końcu zawsze ze śniegu na chodniku tworzy się niemiła bryja, zdolna przemoczyć najsolidniejsze obuwie.

Spojrzał z niesmakiem przez okno. Niby ładnie i biało. Ale cóż z tego. Przeczucie rychłego kresu skaziło wszelki wdzięk tego pejzażu. Za pół godziny z niebiańskiego puchu będzie brudna zupa.

O siódmej piętnaście, jak co dzień, Dmuchawiec wyszedł do szkoły. Zgodnie z jego przewidywaniami śnieg już rozmiękł. Tramwaje przejeżdżały z gwizdem i szczękiem, ludzie tłoczyli się na przystankach. Dmuchawiec wzdrygnął się i począłapał w stronę ulicy Mickiewicza.

Pierwsza lekcja dziś w klasie III a. Zadziornie dzieciaki. I znów trzeba się będzie denerwować: klasowi opozycjoniści z pewnością będą na nim wyładowywać swe rozgoryczenie i winić go za wszystkie błędy tego świata. Czy oni naprawdę przypuszczają, że jemu ten świat się podoba? Ale z nimi to już tak zawsze: jak im człowiek pozwoli na szczere wypowiedzi, to go zamęczą. Dmuchawiec westchnął, ale było to westchnienie człowieka zadowolonego: w gruncie rzeczy bardzo lubił ten rodzaj zamęczania, a do klasy III a miał prawdziwą słabość. Z pewną melancholią pomyślał, że jego własna klasa, I b, nie zamęcza go wcale ani pytaniami, ani oskarżeniami, ani żądaniami natychmiastowej odpowiedzi na milion złośliwych i podstępnych pytań. Klasa I b składa się z wystraszonych baranków, które patrzą nauczycielowi w oczy i zgadują każde jego życzenie. O żadnym sprzeciwie nie ma mowy.

Dmuchawiec zaciągnął się po raz ostatni, wyrzucił niedopałek i przeszedł przez skrzyżowanie. Ulicą Mickiewicza ciągnęły sznury samochodów, utykających co chwila w zatorach. Powietrze pachniało spalinami i dymem. Nauczyciel brnął niechętnie przez topniejący śnieg i wreszcie, zirytowany, zboczył ze zwykłej trasy. Skręcił w ulicę Słowackiego. Droga do szkoły nieco się wydłuży, ale przynajmniej będzie sucho.

Ulica Słowackiego była cicha i biała. Na chodniku po lewej stronie czerniało ledwie kilka sznurków czarnych śladów, okna oświetlonego kiosku „Ruchu" rzucały na śnieg żółtawy blask. Jakaś lekko odziana dziewczyna przebiegła na oślep zaśnieżoną jezdnię i zniknęła z bramie domu z wieżyczką.

W kiosku „Ruchu" Dmuchawiec uzyskał zwięzłą informację, że „Głos" już się skończył. Bez zdziwienia odstąpił od okienka i w tym momencie ujrzał, jak od bocznej ściany kiosku odrywa się wysoki dryblas w skafandrze z kapturem. Dryblas wpadł na Dmuchawca, nadepnął mu na czubek lewej stopy, przeprosił uprzejmym basem patrząc sobie pod nogi i ruszył zgarbiony, zamyślony, wymachując teczką.

Było coś znajomego w tej dryblasowatej sylwetce i powolnych ruchach, pełnych namysłu. Dmuchawiec miewał często kłopoty z rozpoznawaniem swoich uczniów. Po pierwsze, źle widział, po drugie, ci młodzi ludzie wyglądali z daleka zupełnie jednakowo. W tym wszakże wypadku przed Dmuchawcem szedł oryginał. Dryblas nie miał na sobie półkożuszka ani dżinsów, ani kurteczki odsłaniającej okolice nerek. Najwyraźniej było mu wszystko jedno, co wciąga na grzbiet. Był ponadto krótko ostrzyżony i dopiero po tym szczególe Dmuchawiec poznał swego ucznia z Ib. „Hajduk – pomyślał. – Fizyk mówił, że chłopak zdolniacha, tylko niekomunikatywny". Na lekcjach polskiego Hajduk zaskakiwał Dmuchawca krótkimi, celnymi uwagami, które mamrotał patrząc w bok. Wypracowania pisał przeciętne, pełne szczerego znudzenia, gdzieniegdzie tylko okraszone oryginalnymi zwrotami, które wymykały mu się jak gdyby mimo woli.

Dmuchawiec ze zdziwieniem stwierdził, że znalazł się ponownie na hałaśliwej ulicy Mickiewicza. Przed wielką kamienicą, na parterze której mieścił się Urząd Kontroli Prasy, nauczyciel stanął przejęty zdziwieniem. Jerzy Hajduk siedział na schodkach przed Urzędem i najwyraźniej na coś czekał.

Hajduk zauważył Dmuchawca. Nauczyciel podszedł bliżej.

– Dzień dobry – przemówił. – Co ty tu robisz, koleżko?

– Czekam – padła zwięzła odpowiedź. Hajduk stanął w pozie swobodnej, lecz nie pozbawionej szacunku. Oczy miał roztargnione.

– Spóźnisz się do szkoły.

Hajduk spojrzał na zegarek.

– Raczej nie – odparł grzecznie.

– Może pójdziemy razem? – zaproponował Dmuchawiec impulsywnie.

– Czekam na kogoś. Dziękuję bardzo – poważnie odpowiedział chłopiec. Jego oczy rzuciły bezwiednie tęskne spojrzenie na róg ulicy Słowackiego. Dmuchawiec wyczuł, że najlepiej byłoby, gdyby sobie poszedł.

Chrząknął, mruknął niewyraźnie „przepraszam" i pomaszerował szybko w stronę szkoły.

4

Nie, nie, Hajduk nie był wystraszonym barankiem.

Dmuchawiec siedział na swoim krześle za katedrą i nieznacznie przyglądał się uczniowi. Była godzina dwunasta i do mrocznej klasy zajrzało słońce, które wychyliło się zza dachu Collegium Chemicum. Beata Kowalczuk stała wdzięcznie w swojej ławce i afektowanym głosem deklamowała:

– „O białoskrzydła morska pławaczko, wychowanico Idy wysokiej, łodzi bukowa..."

Jerzy Hajduk czytał coś pod ławką.

Profesor Dmuchawiec z wysiłkiem stłumił w sobie przekonanie, że jeśli kogoś nie interesuje Kochanowski, to niegłupio robi, wykorzystując czas lekcji na lekturę. Chrząknął, chcąc dźwięcznym głosem poprosić Hajduka o uwagę. Ale nagle wzięła w nim górę zwykła ciekawość książkowego maniaka. Strasznie chciał wiedzieć, co Hajduk czyta.

– Co czytasz, Hajduk? – spytał życzliwie.

Chłopak wzdrygnął się.

– Pokaż na to – zażądał nauczyciel, spodziewając się ujrzeć powieść awangardową lub tomik poezji.

Ale ujrzał „Przegląd Sportowy".

W drugiej ławce koło drzwi ktoś prychnął pogardliwie. Dmuchawiec zerknął spod okularów i stwierdził, że autorką prychnięcia była cicha blondyneczka o nazwisku Żak. Nie dość, że prychnęła, to jeszcze zaśmiała się ironicznie.

A Jerzy Hajduk nagle się zaczerwienił.

5

Po lekcjach Cesia podeszła do Danki.

– Danusia... – zaczęła.

Przyjaciółka naciągała botki. Podniosła na Celestynę swoje zamglone oczy i z roztargnieniem spytała:

– No?

– Może wpadniesz do mnie po południu, pouczymy się trochę...

Danka wybuchnęła śmiechem.

– Nie, no wiesz! Znam ciekawsze zajęcia! Idziemy z Pawłem do kina. Na „Ojca chrzestnego". Tobie też radzę, zresztą, uczyć się teraz, przed Świętami, może tylko skończony naiwniak – przesłała Cesi przyjazny uśmiech i zajęła się zapinaniem suwaka.

Hajduk szedł z drugiego końca szatni, patrząc prosto na Celestynę. Wyglądało na to, że chce jej coś powiedzieć. Cesia przypomniała sobie swoje pogardliwe prychnięcie i pojęła w jednej chwili, że wszystko, co Hajduk mógłby jej teraz powiedzieć, budzi w niej trwogę i sprzeciw. Hajduk wyglądał groźnie i odpychająco, jasne oczy łyskały mu gniewnie pod daszkiem wełnianej czapki.

Cesia złapała torbę z książkami, odwróciła się na pięcie i uciekła tchórzliwie na korytarz, a stamtąd do toalety.

6

Ostatniego dnia przed Wigilią w domu Żaków pachniało piernikiem. Ciepły aromat przenosił się falami z kuchni do pokoju, wzbijał się pod sufit i opadał z powrotem. Pachniało też choinką, choć drzewko już od pół godziny stało na balkonie. Zmarznięta Cesia zamknęła za sobą drzwi wejściowe i z rozkoszą wciągnęła powietrze w płuca. A więc Święta. Cudowne dni bez szkoły, bez wkuwania, bez niewiernych przyjaciółek i okropnych typów z marginesu społecznego, czytających wyłącznie „Przegląd Sportowy". Smaczne jedzenie, ciepło rodzinne, niepowtarzalny nastrój bożonarodzeniowy, choinka, kolędy i telewizja.

Z kuchni zapachniało cebulką i czosnkiem.

– Mamul! – zawołała Cesia. – Czy można coś wrzucić na ruszt? Bo muszę wyjść.

Mama, potargana, z wypiekami na okrągłych policzkach, wyjrzała z kuchni.

– Słuchaj, skarbie, a dokąd ty się wybierasz? Może byś tak rybkę nabyła?

– Mogę nabyć – zgodziła się Cesia. – Wybieram się po prezenty.

– Dużo, dużo rybki – powiedziała mama, myśląc o czymś innym.

– Nie wiesz przypadkiem, gdzie jest maszynka do maku?

Cesia nie wiedziała. Mama udała się więc w obchód, pytając o to samo wszystkich po kolei – Bobcia, obłuskującego migdały, sprzątającą ciocię Wiesię i zaczytanego dziadka. Bez rezultatu. Nikt nie widział maszynki do maku.

Cesia poszła do kuchni.

Na obiad był makaron w sosie mediolańskim, potrawa, która w domu Żaków pojawiała się rytmicznie, mniej więcej dwa razy na tydzień. Podstawową zaletą tego bezmięsnego dania było to, że nie wymagało ono zbędnego wkładu pracy. Należało po prostu ugotować makaron i zalać go gorącym przecierem pomidorowym z dodatkiem oliwy i mnóstwa wściekle gryzących w gardło przypraw, wśród których prym wiodły curry i pieprz.

W czasie gdy Cesia kaszlała nad makaronem, wróciła z miasta przysypana śniegiem Julia. Jej czarne oczy migotały, migotały też gwiazdki śniegu na kołnierzu i ramionach, lśniły włosy pod puszystą czapeczką.

– Kupiłam sobie nowy płaszcz – oznajmiła migocząc.

– Za co? – zdziwiła się mama.

– Dostałam wypłatę za te dekoracje. No – pamiętasz, na rocznicę Rewolucji Październikowej.

– Ach, Październikowej – przypomniała sobie mama. – I co – dużo zarobiłaś?

– Wystarczająco – przyznała skromnie Julia. – Sama zobacz – i rzuciwszy na krzesło torbę pełną paczek, poczęła się okręcać wokół własnej osi, wyglądając przy tym jak Królowa Śniegu.

– Płaszczyk niebrzydki, panie tego – zauważył dziadek, kuśtykając przez korytarz. – Jak na dzisiejszą modę, oczywiście. A co to tam masz w tych paczuszkach?

– Prezenty – odparła Julia. – Dla wszystkich. Ale tylko jedna osoba dostanie dziś swój prezent. Cielęcina.

Cesia zakrztusiła się majerankiem.

– Co ty mówisz?

– Od dzisiaj pluj w swój własny tusz – powiedziała Julia wręczając siostrze paczuszkę w firmowym papierze „Mody Polskiej".

W paczuszce był tusz „Maxa Factora" z zielonkawą kredką do powiek.

– Julia, czy ty naprawdę nie masz już na co wyrzucać pieniędzy? – zgorszyła się mama. – Najdroższe kosmetyki dla szesnastolatki! Uważam, że to przesada.

Przyciągnięci tą uwagą, jak magnesem, zgromadzili się natychmiast pozostali domownicy. I naturalnie ochoczo skorzystali z okazji, by rozpocząć dyskusję ogólnorodzinną, która, jak zwykle, nosiła wszelkie znamiona ostrej kłótni, gdy tymczasem była zwykłą, przyjacielską wymianą opinii. Całe szczęście, że ojciec jeszcze nie wrócił z pracy, bo Celestyna zapewne popadłaby w depresję. Krzyczeli tak z dziesięć minut, w końcu dziadek podsumował dyskusję stwierdzeniem:

– A niech się maluje, ostatecznie do szkoły już dziś nie idzie.

Cesia z ulgą zostawiła nie tknięty prawie makaron i zamknęła się w łazience, gdzie przez pół godziny ciężko pracowała nad swym nowym obliczem. Efekt nie był zadowalający. Tak czy inaczej, zawsze wyglądała jak przedszkolak, a z makijażem – jak przedszkolak, który wybiera się na bal kostiumowy. Niespodziewanie zebrało się jej na płacz. Litość nad sobą wypełniła jej oczy łzami, czym prędzej jednak przypomniała sobie, że jest umalowana i łzy jakby się cofnęły. „Dobra rzecz makijaż – pomyślała. – Może nawet lepsza niż poczucie humoru".

Wyszła posępnie z łazienki. Nikt nie zwrócił na nią uwagi. Nikt nie wydał nie tylko okrzyku, lecz choćby westchnienia podziwu. No to nie. Mama do połowy zanurzona w schowku wytrwale szukała maszynki do maku. Bobcio maczał w soku herbatniki i zjadał je bez apetytu, lecz za to z głośnym ciamkaniem. Ciocia Wiesia, kopcąc papierosa, niedbale i z jawną niechęcią czyściła fotele wyjącym strasznie odkurzaczem.

Dziadek czytał, ojca nie było. Julia, z ponurym wyrazem twarzy, odziana w purpurowy szlafrok snuła się po mieszkaniu, szukając pończochy.

– Ja się spóźnię, ja się spóźnię – powtarzała.

– A dokąd ty? – zainteresowała się mama. – Bo ja bym miała dla ciebie zajęcie.

– Jestem zaproszona do kolegi. Mała rodzinna wizyta przedświąteczna – odparła Julia obojętnie.

Efekt jej słów był niespodziewany. Mama upuściła z rumorem blaszaną miednicę i zemocjonowana podbiegła do córki.

– Do Tolka? – spytała.

Julia leciutko poczerwieniała.

– Tak – odparła spuszczając oczy. – Ale to nic oficjalnego... Wiesz, tak tylko mnie zaprosił... zresztą, będzie cała paczka z naszego roku.

– Ach, tak... – rozczarowała się mama.

– Tak, niestety... – westchnęła Julia.

– Nic nie rozumiem – powiedział Bobcio.

– Nie szkodzi – stwierdziła Julia.

– I co wy tam będziecie robić? – spytała mama.

– No, będziemy zbiorowo kręcić mak. Mama Tolka jest chora, więc...

– O! – oburzyła się mama Żakowa. – A mnie kto pomoże kręcić mak?

Julia machnęła ręką.

– No, dajże spokój. I tak nie masz maszynki.

Bobcio wychłeptał resztę soku z filiżanki.

– Ja już nie jestem dziecko – oświadczył.

– A kto? – spytała Cesia.

– Mężczyzna – odparł Bobcio. – Za tydzień mi wyrosną włosy na piersiach.

– O?! – zdumiała się Cesia. – Skąd wiesz?

– Już mi rosną. Mam takie kropeczki. Tu i tu. Za tydzień będę miał wszędzie rude włosy jak wujek Żaczek.

– A dlaczego za tydzień? – zainteresowała się Cesia. Ten Bobcio stanowczo jest oryginalnym dzieckiem.

– Twój tata tak mówi. Że jakby się nie golił, toby za tydzień miał brodę.

Ciocia Wiesia wyłączyła odkurzacz i zapanowała dziwna cisza.

– Mam te plamki już od rana – dokończył Bobcio w owej ciszy.

Ciocia Wiesia już była przy nim.

– Jakie plamki! – krzyknęła. Bobcio pokazał. Natychmiast potem został obnażony do pasa i wszyscy mieli okazję podziwiać niezawodny instynkt cioci Wiesi: Bobcio był pokryty wyraźną, drobną wysypką, w kolorze różowym.

– Irenko! – jęknęła ciocia Wiesia. – Co to jest?

– Nie mam pojęcia – wyznała mama Cesi.

– Na pewno dyfteryt – powiedział dziadek.

– Jezus, Maria! – ciocia Wiesia wybuchnęła płaczem. Bobcio był zachwycony.

– Pójdę do szpitala – oświadczył.

– Syneczku! – łkała ciocia Wiesia.

– Albo tyfus. Tyfus też daje wysypkę – snuł przypuszczenia dziadek.

– Albo odra – powiedziała mama.

Cesia westchnęła. Ta rodzina!

– Uspokójcie się – powiedziała. – To nic groźnego.

– A ty skąd wiesz?

– Uczyłam się tego.

– Gdzie, w szkole?

– Nie. Mam takie różne medyczne książki... To różyczka. Lekarz wam powie to samo.

– Różyczka? Ale skąd masz tę pewność?

– Objawy. Gorączki nie ma. Plamki są drobne, różowe i nie zlewają się. Węzły chłonne za uszami i na potylicy są powiększone. Gdyby miał gorączkę, można by przypuszczać, że to exanthema subitum, ale zresztą exanthema subitum występuje raczej u dzieci do lat trzech.

Rodzina gapiła się na Cesię z rozdziawionymi ustami.

– Nie musi nawet leżeć w łóżku – powiedziała Cesia, klepiąc Bobcia po głowie. – Przebieg choroby jest łagodny.

– Cesiu – przemówiła mama z szacunkiem. – To ty poważnie chcesz iść na medycynę?

– Zawsze to powtarzałam.

– Ja jednak pójdę z nim do poradni – wahała się ciocia Wiesia.

– Słusznie – poparła ją Celestyna. – Nigdy nie dość ostrożności. Chociaż w różyczce powikłania się nie zdarzają.

Ciocia Wiesia przyjrzała się bratanicy z osłupieniem pomieszanym z obawą i mimo wszystko zapakowała Bobka do łóżka.

Od tej jednak chwili autorytet Cesi w rodzinie nieznacznie wzrósł. Nawet u Julii dało się to zauważyć.

– No, no – powiedziała patrząc na Cesię z pewnym uznaniem. – Nie myślałam, że ty się czymś poważnie interesujesz.

Cesia zakipiała wewnętrznie.

– Tak, każdy ma swoje zainteresowania – odparła z pozornym spokojem. – A co ciebie interesuje, siostrzyczko?

– Mnie? – zająknęła Julia i zamrugała niepewnie.

– Cha, cha, cha, – mściwie zaśmiała się Cesia i odniosła do kuchni talerz pełen makaronu.

Julia znalazła pończochę na kaloryferze. Niestety, była to pończocha z felerem i w dodatku od innej pary. Podminowana artystka krążyła zatem nadal między łazienką a resztą mieszkania.

– Interesuję się poważnie Sztuką – oświadczyła.

Zazgrzytał klucz w zamku.

– Czołem! – powiedział Żaczek promienny i radosny. – Nigdy nie zgadniecie, co się zdarzyło!

– Dali ci premię! – ucieszyła się mama.

– Nie... – ojciec przygasł lekko. – Nowina moja jest z dziedziny diametralnie różnej – rozpromienił się na nowo. – Uzyskano stabilną reakcję termojądrową w plazmie deuteru!!!

– Matko Boska! Co za szczęście! – krzyknęła radośnie mama Żakowa. Nie miała wprawdzie pojęcia, o co chodzi, jednakże była kobietą głęboko mądrą i jako taka lubiła podzielać mężowskie radości. Ponadto pamiętała zawsze, że Żaczek widział kiedyś swoją przyszłość w fizyce teoretycznej: przerwał studia po trzecim roku, by wstąpić na Politechnikę, i nigdy właściwie nie wybaczył sobie tej zdrady.

– Któż może wiedzieć – z satysfakcją westchnął Żaczek padając na krzesło – jakie perspektywy otwiera to przed ludzkością! Kontrolowana reakcja syntezy! Wyobrażacie sobie? Ciekaw jestem, co na to powie Feynman. No, wiesz, Irenko, ten od kwantów i kwarków.

– Aha – przytaknęła mama z przekonaniem. W życiorysach wielkich fizyków była obkuta na blachę.

– Ja się tylko zastanawiam – powiedziała Julia, kiwając złowieszczo głową – jakie to będzie miało konsekwencje. Czy można z tego zrobić nowy rodzaj broni?

– A idźże! – obruszył się Żaczek.

– Jak Skłodowska odkryła radar, to też się wszyscy cieszyli.

– Boże! Radar! – jęknął Żaczek. – Czegoś ty się uczyła w szkole?

– Niczego – odparła Julia z prostotą. – Uważałam, że jestem na to za ładna.

– To nie był radar, tylko rad.

– I tak się źle skończyło – mruknęła Julia. – Powinni chociaż teraz zaprzestać tych kombinacji. Zwłaszcza, że połowa świata głoduje.

– Ha! – ryknął Żaczek. – A skąd ty wiesz, czy ten wynalazek nie pomoże rozwikłać kwestii głodu?

– Akurat – mruknęła Julia ze wzgardą.

– Kiedy w dziewiętnastym wieku udowodniono istnienie elektronu, nikt nie przewidywał, że dzięki temu polecimy na Księżyc. Tak, moja droga, elektryfikacja wsi, postęp, rewolucja techniczna, rozwój elektroniki, podróże kosmiczne... – galopował Żaczek.

– Kochany – przerwała mu delikatnie mama. – Nie widziałeś przypadkiem maszynki do maku?

– Do czego? – spadł z księżyca Żaczek.

– Do maku.

– Tak jakbym widział. Chyba jest w pudle w spiżarni.

– Wychodzę – oświadczyła Cesia.

– A obiad? – zmartwiła się mama. – Zostawiłaś taki pyszny makaronik!

– Czy dziś na obiad jest pyszny makaronik? – z rozpaczą spytał ojciec.

– Tak – odparła mama. – W sosie mediolańskim.

– Kocham cię, żono – powiedział Żaczek crescendo. – Ale sosu mediolańskiego mam powyżej dziurek w nosie. Stanowczo żądam jajecznicy!

Cesia z namysłem przyglądała się staremu płaszczowi Julii, niedbale wciśniętemu w kąt. Był to właściwie zupełnie nowy płaszcz. Zupełnie nowy i zupełnie ładny. Jakkolwiek niebywale ekstrawagancki. Był długi, bardzo obcisły, czarny, zakończony u góry wielkim kudłatym kołnierzem z czarnej baranicy.

– Julia, co zrobisz z tym płaszczem? – spytała.

Julia spojrzała na nią wyrozumiale.

– Dam ci go – oświadczyła. – Już niemodny. I weź ten szalik i czapkę. Do nowego mi nie pasują.

7

Jerzy Hajduk też wyszedł do miasta. I też po prezenty. Zresztą nie był odosobniony w swych zamiarach – połowa mieszkańców Poznania znajdowała się w tej chwili w sklepach, kupując upominki gwiazdkowe. Druga połowa piekła strucle i pierniki. Luźni przedstawiciele obu grup stali w kolejkach po różne produkty spożywcze, głównie po karpia.

Jak zwykle Jerzy Hajduk wyszedł z domu w stronę ulicy Słowackiego. Postał trochę pod kioskiem, ale Cesi nie było. Okna jej mieszkania były oświetlone rzęsiście i wesoło. Jerzy doszedł do wniosku, że Cesia na pewno należy dziś do grupy piekących pierniki, i ruszył w stronę śródmieścia. Musiał kupić babci jakiś ładny prezent. Pieniędzy miał sporo, bo przed Świętami mnóstwo ludzi chciało mieć sprawne telewizory, a naprawianie telewizorów wszystkim znajomym pani Piórek stało się głównym źródłem jego dochodów, odkąd zamieszkał w Poznaniu.

Czasu miał niewiele. Pociąg odchodził o siódmej wieczorem, jeszcze dziś czekała Jerzego kolacja u babci. Ruszył wzdłuż oświetlonych witryn z bombkami i Mikołajami ze styropianu, rozwieszonymi nad stosami toreb i parasoli. I nagle zatrzymał się, jakby ktoś opuścił przed nim szlaban.

Cesia!

Stała wewnątrz sklepu. Pochylała się nad stołem z parasolkami. Potem się wyprostowała i stała nieruchomo, w zamyśleniu, zagadkowo uśmiechając się do siebie. Naokoło niej kłębił się tłum, ludzie ją potrącali, przesuwali się obok i za jej plecami, a ona tylko tak sobie stała i wyglądała ślicznie, jakoś zupełnie inaczej niż w szkole.

Ubrana była w coś czarnego. Na głowie miała małą, kolorową czapeczkę. Jej jasna głowa wyglądała jak wesoły kwiatek na długiej, czarnej łodydze. Jerzy nie mógł od niej oderwać wzroku.

8

W sklepie było gorąco i duszno. Celestyna podniosła wzrok znad parasolek i ujrzała w szybie swoje zachwycające odbicie. Nie ma dwóch zdań, suknia zdobi człowieka. Podobała się sama sobie w starym płaszczu Julii i jej szydełkowej czapeczce retro. Makijaż wprawdzie postarzał Cielęcinę o dobrych kilka lat, ale nie było w tym niczego złego, wręcz przeciwnie. Około pięciu minut Celestyna Żak spędziła na podziwianiu swojej wytwornej sylwetki, wreszcie jednak surowa rzeczywistość dała o sobie znać: karpie przeciekały. Czy worek plastykowy był nieszczelny, czy też może zaszło coś innego, dość że z siatki kapało Cesi prosto do buta i należało niezwłocznie kupić parasolkę dla mamy, po czym udać się spiesznie do domu i zamordować niesforne rybki.

Wybrała pierwszą z brzegu parasolkę, wykonała konieczne manipulacje z pieniędzmi i paragonem i wreszcie wyszła z paczuszką w dłoni. Karpie wciąż ciekły, w siatce odbywały się jakieś gwałtowne i spazmatyczne ruchy. Cesia zdecydowała, że najrozsądniej będzie przebyć biegiem krótką drogę do domu. A tam niech już rodzina się martwi.

Pobiegła.

Znów zaczął sypać śnieg, w powietrzu zrobiło się zupełnie biało. Zimne płatki pędziły poziomo gnane wiatrem. Ten sam wiatr niósł jak na skrzydłach Cesię i jej ryby i znienacka, na rogu, wrzucił całe to bogactwo w ramiona kogoś, kto szedł z przeciwka.

– Bęc! – usłyszała ciepły baryton i ktoś mocno objął ją w pasie. Uniosła oczy i poczuła, że jej słabo. Znajdowała się w uścisku brodatego bruneta w wieku uniwersyteckim. Światło bijące z księgarni MPiK oblewało jego suche, męskie rysy i zapalało złote błyski w przepastnych oczach. Brodacz nie zwalniał uścisku wpatrując się w Cesię z zainteresowaniem należnym uderzająco urodziwej przedstawicielce płci przeciwnej. Pachniał intensywnie wodą kolońską „Yardleya". Cesia straciła dla niego głowę w jednej chwili.

– Proszę mnie puścić! – powiedziała oschle, marszcząc brwi. Mogła stracić głowę, ale za nic nie pozwoliłaby, żeby on się tego domyślił.

Brodacz uśmiechnął się jak Mefistofeles.

– Dlaczego? – spytał głębokim głosem, który przyprawił Cesię o drżenie.

– Bo mi karpie cieknę – odpowiedziała stanowczo.

Zdumienie na twarzy brodacza było nagrodą za jej niezłomność. W jednej chwili rozluźnił uścisk i wypuścił Celestynę na swobodę. Cesia była pewna, że kiedy to nastąpi, ona natychmiast się oddali, całą postacią manifestując oburzenie. A tymczasem, ku własnemu zaskoczeniu, stała wciąż w miejscu, z rozmyślną powolnością okręcając siatkę z rybami.

Brodacz przeniósł spojrzenie na karpie.

– Ach, tak... – powiedział ze zrozumieniem. – Okoliczności nam nie sprzyjają. Spotkajmy się jeszcze. Na przykład w pierwsze święto, w parku Moniuszki, pod pomnikiem. O czwartej.

– Nie ma mowy – odparła Cesia, z trudem ukrywając zachwyt. Po raz pierwszy w życiu ktoś proponował jej randkę!

– O czwartej po południu – powtórzył brodacz tonem człowieka absolutnie pewnego zwycięstwa. – Będę czekać pięć minut – obrzucił Cesię gorącym spojrzeniem i odszedł krokiem celowo elastycznym.

Cesia natychmiast wpadła w czarną rozpacz. Ten cudowny mężczyzna pomylił się w sposób oczywisty. Idzie sobie teraz i myśli o niej, że jest idiotką. Karpie! O, podły losie! Dlaczego nie zachowała tajemniczego milczenia, które zawsze i z całą pewnością jest lepsze niż głupie i nie przemyślane wypowiedzi. Dlaczego nie pozwoliła mu trzymać się w ramionach, co było wszak takie przyjemne!

On już nie przyjdzie na spotkanie. To pewne. Zresztą, może i lepiej. Jest stanowczo za przystojny. Tacy są zawsze zepsuci powodzeniem u kobiet. Gdyby zobaczył Celestynę Żak w dziennym świetle, rozczarowałby się okrutnie.

No, tak, ale teraz widział ją w świetle wieczornym. Poza tym, propozycję spotkania wysunął już po jej uwadze o karpiach. Znaczy, że mu nie przeszkadzały.

Więc może jednak przyjdzie na randkę?

Niech sobie przychodzi. Nie zastanie Celestyny pod pomnikiem. Jeśli mu się spodobała, pozostanie w jego pamięci pięknym wspomnieniem. Oszczędzi mu rozczarowania, a sobie wstydu.

– Nie pójdę na randkę – powiedziała głośno Celestyna Żak, po czym ruszyła z miejsca energicznym krokiem.

9

Rodzina Żaków była w pewnym sensie uprzywilejowana: mieszkała w tak zwanym starym budownictwie. Sytuacja ta miała zalety i wady. Do wad należał zaciek w łazience, z którego lała się woda w dni deszczowe, a także plaga korników, podgryzających wszystkie drewniane części budynku. Zalet było więcej. Mieszkanie Żaków, dziwaczne i nietypowe, nawet jak na stare budownictwo, choć w zasadzie odpowiadało państwowym normom metrażowym, posiadało wiele miłych zakątków, których najbardziej nawet zajadły urzędnik ADM-u nie zaliczyłby do powierzchni mieszkalnej.

Trzon mieszkania stanowił długi wąski korytarz bez okien, z którego liczne powikłane odnogi prowadziły do różnych dziwacznych pomieszczeń, między innymi: dwóch pokoi, dwóch pokoików, kuchni, łazienki, kilku skrytek niewiadomego przeznaczenia, spiżarni i pralni. W jednej ze skrytek znajdowały się drzwiczki, za którymi upiorne schodki wiodły wysoko na strych, a ze strychu na wieżyczkę z umocowanym na czubku blaszanym kogutkiem.

Wszystkie te pomieszczenia przeszukiwała obecnie mama Żakowa i nigdzie nie mogła znaleźć maszynki do maku. Sprawa stawała się coraz bardziej nagląca, ponieważ mak moczył się już od dwudziestu czterech godzin. Nieodzowną rzeczą było przekręcenie go przez maszynkę, jeśli w ogóle miały być strucle na Święta. A strucle przecież być musiały. Na co dzień rodzina skłonna była do poważnych ustępstw na rzecz ułatwienia pracy twórczej swojej karmicielce. W miarę jak zbliżały się święta, w mentalności członków rodziny zaczynały zachodzić nagłe zmiany: dziadek stawał się zrzędliwym teściem, szukającym dziury w całym i tylko patrzącym, jak by tu dopiec synowej za jej niegospodarność. Dzieci, czyli Celestyna, Julia i Bobcio, nagle zaczynały się domagać łakoci i nastroju świątecznego. Żaczek przytaczał przykłady szczęśliwych rodzin, którym niepracujące matki zapewniają ciepło i pierogi z kapustą. Słowem, presja wywierana na mamę Żakową była tak silna, że nieszczęsna artystka musiała zadać gwałt swojej naturze i dać się wciągnąć do kuchni. Zwłaszcza że w Pałacu Kultury, gdzie mama prowadziła pracownię rzeźby i ceramiki, o tej porze roku trwała właśnie przerwa świąteczna i wykręt, że czasu brak, odpadał sam przez się.

Przeszukawszy strych mama udała się na wieżyczkę. Nikła była nadzieja, że znajdzie tam maszynkę, na wieżyczkę bowiem nie wchodził nikt od dnia dziesiątych urodzin Celestyny, kiedy to rozochocona solenizantka o mało nie wypadła na ulicę z okienka wieży. Mama jednak nie chciała zaniedbać żadnej możliwości; otworzyła malutkie drzwi i rozejrzała się uważnie po wnętrzu wieżyczki.

Małe kwadratowe pomieszczenie było niemal puste, jeśli nie liczyć leżącego w kącie stosu starych gazet. Maszynki, oczywiście, ani śladu. Mama wyjrzała sobie przez okno – i tak jej się to spodobało, że zapomniała o maku i pykającym na ogniu bigosie. Na dworze był granatowobłękitny zmrok, wiatr ciskał bezgłośnie kłębami suchych śniegowych płatków. W kamienicy naprzeciwko ktoś zapalał i gasił sznurek lampek choinkowych.

Pod bramą żółtego domu stały dwie zagadane dziewczyny. W jednej z nich mama rozpoznała Cesię.

– Hej, hej! – krzyknęła.

– Halo, halo! – wrzasnęła Cesia z dołu. – Danka, zobacz, moja mama na wieży! Hej, spuść swoje warkocze!

Karpie w siatce jakoś przestały się ruszać. Być może dlatego, że Cesia położyła je na śniegu. Musiała to zrobić, by plastycznie opowiedzieć przyjaciółce swoją dzisiejszą przygodę z brodaczem. Teraz wszakże ujęła w dłoń uchwyty siatki i pożegnała Dankę.

– Słuchaj, Ceśka, bardzo bym chciała zobaczyć tę wieżę – powiedziała Danka, zapatrzona w górę. – To jest po prostu fantastyczne. Czy tam można sobie posiedzieć?

– Przyjdź w pierwsze Święto przed południem – powiedziała Celestyna, która wprawdzie nie dopuszczała do siebie myśli, iż mogłaby pójść na spotkanie z brodaczem, ale na wszelki wypadek wolała jednak mieć wolne popołudnie. – Tam jest naprawdę fajnie, tylko zimno.

10

Cesia weszła do przedpokoju, gdzie tym razem pachniało bigosem. Z pokoju dziewcząt dobiegał gwar wielu głosów.

– Moja paczka przyszła, chcą ci pomóc kręcić mak – powiedziała Julia do mamy. – U Tolka już przekręciliśmy wszystko.

– Co wy z tym makiem, naprawdę – zdenerwowała się mama. – Ja wciąż jeszcze nie mogę znaleźć maszynki – urwała nagle i z uwagą przyjrzała się Julii, która miała rumieńce, oczy jak czarne gwiazdy i rozwiane włosy. – Tolek też jest? – spytała tonem raczej twierdzącym.

– Tak – szepnęła Julia i przymknęła oczy. – Mamo, on jest cudowny. Cudowny. Jestem w nim beznadziejnie zakochana. A on we mnie w ogóle nie dostrzega obiektu...

Cesia odłożyła swoje paczki i podeszła bliżej. Nie ma nic ciekawszego niż sprawy sercowe.

– Który to ten Tolek? – spytała szeptem.

Julia spojrzała na nią niechętnie.

– O, jesteś. Słuchaj, Cielęcino. Jak cię dopuścimy do swego grona, to masz się starać, zrozumiano? Masz być miła i dobrze ułożona. I tak już cała cierpnę, żeby ktoś z rodziny nie wyskoczył z czymś kompromitującym.

– Ależ, córko!

– Nie masz pojęcia – szepnęła Julia – jaką on ma rodzinę. Ta matka – piękna, pachnąca, elegancka – zupełna hrabina!

– Co ty powiesz? – stropiła się mama Żakowa i ukradkiem spojrzała na swoje rozdeptane pantofle.

– Kręciliśmy mak, a ona wycinała pierniki – szeptała Julia ze zgrozą. – I przez cały czas miała na sobie aksamitną suknię z kołnierzykiem z prawdziwych koronek!

– Rany boskie! – powiedziała mama.

– A jego ojciec – mówię ci, zupełny lord. Siedział sobie tylko w fotelu Ludwik szesnasty i czytał Pascala.

– Dlaczego myślisz, że lordowie czytają Pascala w fotelach Ludwik szesnasty? – spytała mama usiłując ukryć wrażenie, jakie na niej zrobiły słowa córki.

– Nasz dziadek też czyta Pascala – wtrąciła Cesia, ogarnięta patriotyzmem lokalnym.

– Dziadek! – prychnęła Julia. – Dziadek czyta La Bruyère'a. Poza tym dziedek czyta informacyjnie, a tamten się, proszę ciebie, delektował.

– Julka! – dobiegły z pokoju chóralne okrzyki.

– Idę! – zawołała słodkim głosem. – Więc pamiętajcie – warknęła kątem ust w stronę Cesi. – Wszystko ma być jak należy. Ceśka, sprzątnij kuchnię, żebym się nie musiała wstydzić. Mamo, czy ty byś, przepraszam, nie mogła włożyć tej ładnej sukni, no wiesz, tej aksamitnej...

Mama uśmiechnęła się kpiąco, jej czarne oczy błysnęły rozbawieniem.

– Kłopot tylko z kołnierzem – powiedziała. – Konieczny byłby zwój brabanckich koronek, n'est-ce pas?

– Jul-ka! Jul-ka! – wołano z pokoju.

Julka zakręciła się, łypnęła groźnie smolistymi oczami i zniknęła.

– Wiem! – szepnęła nagle mama. Na twarzy miała wyraz olśnienia. – Wiem! Wiem, gdzie jest ta maszynka!

– No, gdzie? – zainteresowała się Cesia.

– Skojarzyło mi się z hrabiną i piernikami... Na jesieni schowałam maszynkę do starej formy piernikowej i postawiłam na półce pod schodami. – Obie z Cesią, tknięte jednym impulsem, zniknęły w drzwiach wiodących na strych. Istotnie, we wnęce pod schodami leżała maszynka owinięta w papier.

– Ależ to jest maszynka do mięsa! – zauważyła Cesia.

– Do mięsa, ale do maku – wyjaśniła mama po prostu. – Leć do Julii i powiedz, że za chwilę będą mogli kręcić. Swoją drogą, nie rozumiem, dlaczego oni robią z tego takie misterium?

Sprzątnięta kuchnia wyglądała wcale nieźle. Mama położyła maszynkę na stole i pobiegła do ostatniego pokoju po doniczkę z paprotką, która miała nadać skromnemu wnętrzu kuchni bardziej pałacowy charakter. Kiedy wszakże wracała, usłyszała głosy Julczynych przyjaciół, dobiegające już z kuchennych rewirów, wobec czego odstawiła paprotkę i podkradła się na palcach, żeby poobserwować tego wspaniałego Tolka.

Ujrzała kudłatego blondynka o wyłupiastych oczach i dużych różowych uszach i jej serce matczyne ścisnęło się uczuciem zawodu. Jak to – jej śliczna córka i taki śmieszny krasnoludek? Gdzie ta nieszczęsna Julia ma oczy? O, już ten drugi, brodaty, lepiej wygląda, choć też jest jakiś taki drobny...

Chociaż, blondynek nie-blondynek, a osobowość Tolo miał. Mama Żakowa zauważyła to w chwili, gdy się odezwał. Mówił głosem potężnym i dźwięcznym, choć wcale nie głośnym. I wszyscy od razu milkli, wpatrując się w niego z szacunkiem.

– No, kręćmy już, kręćmy – powiedział. – Muszę wracać, matka czeka.

– Tak, kręćmy już, kręćmy – poparła go Julia głosem sztucznie ożywionym. – A jutro zapraszam wszystkich na makowiec! – Jej żarliwe oczy skierowane na Tolka mówiły: „zapraszam ciebie" – i mamie Żakowej ścisnęło się serce. Postanowiła polubić Tolka, niezależnie od jego różowych uszu.

Julia, wciąż patrząc na ukochanego, przytwierdziła maszynkę do stołu.

– Gotowe – oświadczyła i sięgnęła po sito z makiem.

W tym momencie mama Żakowa uprzytomniła sobie, że maszynka nie została umyta. „W zasadzie – pomyślała – trochę kurzu w makowcu..." – lecz w jej piersi obudziło się nagle niedobre przeczucie.

Rudowłosa sympatyczna Krystyna nakładała mak do maszynki. Tolo kręcił. Pierwsze obroty korbką wykonał z pewnym wysiłkiem.

– Czekaj, czekaj – powiedziała Krystyna, spoglądając na wylot – coś tu dziwnego idzie...

Gdyby Julia miała dar przewidywania, znalazłaby w tej chwili inną zabawę dla swych przyjaciół. Mama Żakowa zamarła pod drzwiami.

Rudowłosa Krystyna rozkręciła maszynkę i nagle w kuchni eksplodował chóralny wrzask obrzydzenia.

– Co to jest! – górował nad wszystkimi straszny głos Julii.

– Zdechła mysz – odparł Tolo, z chłodną ciekawością naukowca badając truchełko do połowy wkręcone w śrubę maszynki. – Całkiem wyschnięta. Julia, skąd ty wzięłaś taką mumijkę?

– Smacznego – powiedział brodacz i zarechotał.

Zaległa cisza pełna zażenowania. Brodacz chrząknął, nagle speszony, i zaczął się bawić widelcem.

Silne napięcie, w jakim znajdowała się Julia od południa, musiało się rozładować w czymś gwałtownym. Haniebne szczątki w maszynce były tą kroplą, która przepełniła czarę; Julia wybuchnęła histerycznym śmiechem, który rychło przeszedł w równie histeryczny płacz. Goście pokręcili się chwilę, wreszcie, po kilku bezskutecznych próbach uspokojenia lub rozśmieszenia Julii, wynieśli się rozkładając ręce.

Łkająca Julia została sama, jeśli nie liczyć zwłok myszy w maszynce i przytajonej za drzwiami matki.

11

Wieczór wigilijny był ponury. Od wczorajszego wypadku Julia znajdowała się w stanie trwałego przygnębienia i nastrój beznadziejności udzielił się wszystkim w rodzinie. Jeden Bobcio był zadowolony – zapalił sam wszystkie świeczki na choince i udało mu się pokapać dywan stearyną.

Wieczerza, jak zwykle smaczna, spożyta została bez entuzjazmu, jakkolwiek z potraw zawierających mak, podano tylko posypane nim kluseczki. Maszynka, pozbawiona już swej makabrycznej zawartości, moczyła się w roztworze ługu i detergentów, ale było jasne, że i tak nikt się nie odważy jej użyć.

Jednakże pierwszego dnia Świąt nastrój w domu Żaków uległ nieznacznej poprawie. Przede wszystkim – wstało wspaniałe słońce, niebo było cudownie błękitne i śnieg iskrzył się zachęcająco na białych ulicach. Już to wystarczyło, by odmienić nieco humory, a tu w dodatku zadzwonił Tolo i zapytał Julię, oczywiście w imieniu całej paczki, jak tam samopoczucie.

– W imieniu paczki – westchnęła Julia, odkładając słuchawkę po skończonej rozmowie. – O, on zawsze występuje jako ciało zbiorowe. – Westchnęła znowu, ale twarz jej się nieco rozpogodziła.

– Zobaczysz, on się w tobie zakocha – pospieszyła z pocieszeniem mama. Od tamtego momentu w kuchni gnębiło ją poczucie winy: gdyby umyła maszynkę, szczęście jej dziecka nie byłoby zagrożone.

Julia spochmurniała na nowo.

– Tolo nie zakocha się we mnie nigdy – powiedziała głosem Kasandry. – Już na zawsze skojarzyłam mu się z przekręconym przez maszynkę gryzoniem.

Cesia zebrała ze stołu naczynia pozostałe po obiedzie. Ustawiając je na tacy nie przestawała rozmyślać. Od rana przeżywała prawdziwą rozterkę – pójść czy nie pójść na spotkanie z brodaczem? Przeciwko randce z nieznajomym donżuanem przemawiało bardzo wiele. Jednakże Celestyna obawiała się, czy aby przypadkiem nie jest to pierwsza i jedyna w życiu okazja, żeby umówić się z chłopakiem.

Odniosła tacę do kuchni, po czym zamknęła się w łazience. Stojąc przed lustrem oddała się smutnym myślom. Jeżeli pójdzie na randkę, brodacz się rozczaruje, ponieważ bez makijażu Celestyna wygląda na to dokładnie, czym jest: na szesnastoletnią zakompleksioną uczennicę szkoły średniej. Wniosek: należy się zdecydować na makijaż. Ale tego właśnie Cesia nie zamierzała uczynić. Jeżeli bowiem brodacz jest właśnie Tym Jedynym, Wybranym i Na Zawsze, powinien poznać ją au naturel, w całej skromności jej istoty. Będzie to sposób uczciwy – pokazać mu się bez żadnych fałszerstw kosmetycznych – i jeśli on się wtedy w niej zakocha, to będzie to właśnie ta prawdziwa, niekłamana miłość. Li i jedynie.

No więc iść czy nie iść?

,,Oczywiście, że iść'' – pomyślała Cesia, po czym znów opadły ją wątpliwości.

A właściwie – dlaczego by nie zapytać rodziny. Niech doradzą.

I w końcu, jak zwykle, opowiedziała wszystko rodzinie, a rodzina, jak zwykle, wzięła na siebie jej troski.

– Czy myślisz, że mogłabyś się w nim zakochać? – spytała mama badawczo.

Cesia oświadczyła wbrew własnemu przekonaniu, że raczej na pewno się w nim nie zakocha.

– Raczej czy na pewno? – wolał wiedzieć ojciec.

– Na pewno.

– To po co lecisz na tę randkę?

Cesia zastanowiła się.

– No, gdyby on chciał ze mną chodzić... to miałabym wreszcie kogoś na spacery i do kina...

– Na spacery to mogę ci kupić psa – ponuro rzekł ojciec.

– A do kina możesz chodzić ze mną – poświęcił się dziadek.

– A w ogóle to nie umawiaj się z pierwszym lepszym tylko dlatego, że nie chcesz być sama – powiedziała Julia stanowczo.

– No, a jeżeli już nikt nigdy na mnie nie spojrzy? – wyraziła Cesia swoje tajemne obawy.

– Spojrzy, niestety. Założę się o milion – zapewnił ojciec.

– Więc iść czy nie iść?

– Cokolwiek uczynisz, będziesz żałować – postraszył dziadek, który niedawno przeczytał całego Camusa.

– To idziesz? Tak? – upewniała się Julia. – Włóż sobie mój czarny płaszcz.

– A cóż ty z niej wampa robisz, moja droga! – oburzyła się mama. – Cesiu, ubierz się raczej skromnie.

– Najlepiej w mundurek z tarczą na ramieniu – zajadowicił z kąta dziadek. – Tylko i li, panie tego.

– Cesia, no po co to – martwił się ojciec. – Boże mój, Boże, dlaczego dałeś mi aż dwie córki? Randki, miłości, kupuj im suknie, troszcz się, żeby je kto zechciał poślubić. Za co to, za jakie grzechy? Cielęcino, nie idź, błagam cię.

– Cicho! – warknęła Julia. – Zostawcie ją w spokoju.

– Właśnie – dodała Cesia. – Czuję się, jakbym szła na operację serca, a nie na normalną randkę.

Dziadek przeszedł z jednego kąta w drugi, trzymając się za miejsce, gdzie miał korzonki nerwowe.

– Och, też mi znów problem, panie tego – stęknął, sadowiąc się w fotelu. – A dlaczego właściwie nikt się tak nie denerwuje, jak Julia lata z randki na randkę?

– Ja? Ja? – zdenerwowała się Julia.

– Julka jest ostra facetka – powiedział Żaczek z przekonaniem.

– Założę się, że nasza pomoc byłaby zbędna. W razie czego sama przyłoży natrętowi w żołądek. A potem jeszcze i w pysk strzeli.

Wśród ogólnego rechotania Cesia podjęła ostateczną decyzję.

– Idę – zerwała się. – Zaraz czwarta.

Śmiech zgasł natychmiast, jakby odczuli jego niestosowność w chwili tak poważnej. Cesia włożyła swój stary płaszcz i wybiegła z domu, czując na sobie ich spojrzenia. Na ulicy obejrzała się. Oczywiście. Tylko dziadek zachował się z godnością, zresztą może to przez te korzonki. Pozostali tkwili na balkonie, wpatrując się w nią żałosnym wzrokiem winowajców. Tak patrzą ludzie cywilizowani na krowę ciągniętą na postronku do rzeźni.

Nie było to szczególnie zachęcające.

Cesia doszła do Opery i nogi odmówiły jej posłuszeństwa. U wylotu ulicy widać już było ośnieżone drzewa parku Moniuszki. Och, czy on tam jest wśród tych drzew? Czy już czeka, czy nie czeka?

Stała przestępując z nogi na nogę i wahała się.

W rezultacie postanowiła, że owszem, pójdzie do parku, ale nie pod pomnik. Zajdzie brodacza od tyłu, ze strony, z której nie mógł się jej spodziewać. Po prostu tylko sprawdzi, czy on tam jest. Jeżeli przyszedł na spotkanie, to znaczy, że Celestyna Żak przedstawia jednak sobą jakieś wartości jako kobieta. Obiektywnie.

Ruszyła w dół ulicy. Śnieg powoli błękitniał, słońce chyliło się już ku zachodowi. Pomarańczowe, kłujące błyski strzelały przez zaśnieżone korony drzew. Park był coraz bliżej i Cesia zatrzymała się w pół kroku.

Przed nią było skrzyżowanie, za którym łagodnym półkolem biegł murek otaczający park. Wyraźnie widać było stojące na wysokim postumencie brązowe popiersie Moniuszki, otoczone bujnie rosnącymi tujami i krzewami. Tłumiąc oddech Cesia stanęła za słupkiem ze światłami sygnalizującymi i z tego ukrycia zerknęła na drugą stronę jezdni.

Przed pomnikiem nie było nikogo.

Nikogo...

A więc tak. Jako kobieta nie przedstawia sobą żadnej wartości obiektywnej. Wiedziała o tym od dawna, jednak teraz doznała uczucia okrutnego zawodu.

A może się po prostu spóźniła? Może był i zostawił jakąś wiadomość?

A może to on się spóźni?

Tylko tego brakowało, żeby ją zobaczył, jak wypatruje go wzrokiem gorączkowym.

Trzeba się jakoś ukryć. O, może za tymi krzaczkami z tyłu pomnika.

Gdyby brodacz przyszedł, pozwoli mu trochę poczekać i kiedy on już na dobre zacznie się niepokoić, ona wycofa się ostrożnie na ścieżkę i wyjdzie na polankę przed pomnikiem z miną niezależną.

Przebiegła jezdnię w niedozwolonym miejscu, przeskoczyła przez niski murek, przedarła się przez żywopłot i ukradkiem wskoczyła za krzaki na tyłach pomnika.

Skoczyła zaś z taką energią, że zbiła z nóg jakiegoś faceta w baranicy, który teraz leżał z twarzą w śniegu i czepiając się jedną ręką pobliskiego krzaczka, usiłował się podnieść.

Cesi zrobiło się naprawdę przykro. Biedny człowiek. Ale skąd ona doprawdy mogła wiedzieć, że ktoś kryje się za tymi tujami?

– Przepraszam – bąknęła, podając leżącemu krzepką dłoń. Biedny człowiek, zapewne dozorca lub ogrodnik, podnosił się ogłuszony, opierając się mocno na Cesinej dłoni.

– Do jasnej cholery! – powiedział z furią wstając na nogi. – Co to za zwyczaje?! – zgarnął z twarzy mokry śnieg i przetarł oczy.

– Ty smarkulo, ty! – dodał z obrzydzeniem, patrząc na Cesię.

Cesia w jednej chwili straciła dech. Przed nią, na wyciągnięcie ręki, stał cudowny brodacz! Patrzył swymi przepastnymi oczami – i nie poznawał jej!

„Mój płaszcz" – przeleciało przez głowę Cesi. Tak, jej płaszcz granatowy, z tarczą na rękawie i kołnierzem z szarego królika, stara czapka wciśnięta na nie umalowane oczy, blade usta, uczyniły z niej osobę inną, nie do poznania.

– Naprawdę bardzo przepraszam – powiedziała. – Mam nadzieję, że nic się panu nie stało – odczekała chwilę i wobec braku odpowiedzi uznała, że może odejść. – Do widzenia.

Przeszła przez śnieżną zaspę i wyskoczyła na polankę przed Moniuszką. Z wolna zaczął docierać do niej cały komizm sytuacji. „Tylko mnie coś takiego może się przydarzyć – pomyślała. – No i świetnie. Problem moralny roztrzygnął się sam". Łaskoczący chichot podszedł jej do gardła i Celestyna parsknęła na cały głos.

– Chwileczkę! – krzyknął za nią brodacz. Wypadł z krzaków i dogonił ją pospiesznie. – Dokąd idziesz, mała? Cesia uznała, że nie ma

już obowiązku odpowiadać.– Niezłe masz nogi – powiedział brodacz życzliwie. – Słuchaj, mała, nie chciałabyś pójść do kina?

W Celestynie buzował już zmysł humoru, jak dobrze rozpalony ogień pod kuchnią.

– Nie, wie pan – odparła. – Nie mam ochoty. Uważam, że jest pan gburowaty.

– Mam wolny bilet – oświadczył brodacz.

– A co, dziewczyna nie przyszła?

– Ależ skąd! – powiedział brodacz z wielką pewnością siebie. – Z nikim się nie umawiałem.

– A dlaczego krył się pan w krzaczkach?

Stropił się.

– No, więc dobrze. Patrzałem, czy idzie. No i nie przyszła.

Cesia pysznie się bawiła.

– I ja mam teraz służyć jako produkt zastępczy? – spytała, za wszelką cenę starając się nie wybuchnąć śmiechem.

– Złośliwa bestia z ciebie – speszył się brodacz. – No, chodź do kina. Proszę.

Serce Cesi stopniało jak lody w piekarniku. „O, cudowny, jedyny brodaczu!"

– Niestety, nie mogę – odpowiedziała hardo. – Umówiłam się tu z jednym chłopakiem.

Brodacz nagle się rozgniewał.

– Po co ja z tobą gadam? Nie chcesz, to nie, takich jak ty mam na pęczki.

– To fajnie – odparła Cesia, trochę zła. – Pójdę już, bo mi nogi marzną.

Brodacz mruknął pod nosem coś niepochlebnego i ruszył ze złością w stronę ulicy Chopina. Cesia poszła w swoją stronę. Ogólnie biorąc była zadowolona. Wprawdzie brodacza straciła nieodwołalnie, ale tak czy inaczej okazało się, że jej wartość obiektywna jako kobiety nie jest wcale taka niska, jak sobie wyobrażała.

Bądź co bądź odrzuciła już względy jednego mężczyzny.

Cóż za krzepiące uczucie.

– I – zaraz – och – co to on powiedział?

O, nieba!

On powiedział – on powiedział – „niezłe masz nogi!!!"

12

– Nie ma nic gorszego niż iść do budy po Świętach – powiedziała ponuro Celestyna, spotykając się z Danką przed szkolną bramą.

– Owszem – przyznała smętnie Danka. – Ciekawe, co nas dziś czeka. Przez całe Święta nie zajrzałam ani razu do książki.

– Człowiek po prostu ma uczucie, że go na nowo zakuwają w kajdany – kontynuowała Cesia, człapiąc beznadziejnie po wysypanym solą chodniku. – Jedno z dwojga: albo nie powinno być szkoły, albo przerwy w nauce.

Danka pchnęła ostrożnie ciężkie odrzwia.

– Masz chandrę? – domyśliła się.

– Po prostu nie lubię szkoły – westchnęła Cesia.

– Kto lubi.

– Lubiłabym, gdyby nie pytali. Ja nawet lubię się uczyć. Nie znoszę tylko, jak się mnie sprawdza – oświadczyła Celestyna, zmierzając w stronę szatni.

Weszły do gwarnej klasy w nastrojach już zupełnie zgasłych. Pawełek, z którym Danka znów się gniewała, rzucił jej niechętne spojrzenie. Siedział na blacie swojej ławki i czytał „Przegląd Sportowy" najwyraźniej pożyczony od tego Hajduka. Hajduk, ponury jak zwykle, czytał jakąś grubą książkę trzymając ją pionowo. Widać było wyraźnie pomarańczową okładkę: „Feynmana wykłady z fizyki" – przeczytała Cesia mimo woli. No, proszę, więc jednak czytuje on coś jeszcze, nie tylko prasę brukową. Nazwisko Feynman było Cesi skądś znajome, lecz nie zastanawiała się nad tym dłużej, w klasie panował zgiełk, wszyscy się kręcili, gadali, przechodzili między stolikami, witali się. Cesia usiadła na swoim miejscu, zawiesiła torbę z książkami i najzupełniej mimo woli spojrzała w lewo.

Wcale nie zamierzała patrzeć na Hajduka – bo i po co? Ale tak jej się jakoś oczy o niego zaczepiły.

I najgorsze było, że on też spojrzał na nią – w tej samej chwili. Zerknął, jakby chciał sprawdzić, jaką ona ma minę.

Oboje podskoczyli i gwałtownie odwrócili wzrok.

Cesia się zaczerwieniła z przykrości. Co za głupia historia, ten cały Hajduk jeszcze gotów pomyśleć, że ona patrzyła na niego specjalnie.

Ach, no tak, oczywiście. Teraz się gapił, by się przekonać, czy Cesia zauważyła, jaką to mądrą książkę on czyta. Cóż za prymitywna gierka. Oddał Pawełkowi swój brukowy szmatławiec, a sam jazda do dzieła naukowego. Feynman oczywiście jest tym fizykiem, o którym ostatnio wspominał Żaczek. Naiwny Hajduk przypuszcza, że ona uwierzy w to przedstawienie. Komu by się chciało czytać naukowe książki przed pierwszą lekcją? O, i okładkę tak ustawił, żeby było widać tytuł. Co za głupek.

– Cha, cha, cha – zaśmiała się Cesia cieniutko i ironicznie, a że przy tym miała zaciśnięte usta, zabrzmiało to jak złośliwe: Hm-hm-hm. Hajduk zerknął na nią z boku i na widok jej uśmieszku poczerwieniał jak burak. Książkę położył na ławce i nawet przestał udawać, że czyta.

Dobrze mu tak. Żałosna kreatura.

Jeden jest tylko, jeden inny od nich wszystkich mężczyzna. Piękny, czarnowłosy i ubrany jak z żurnala. Cesia przymknęła powieki i wywołała przed oczami duszy wizję brodacza, który trzyma ją w ramionach, pytając aksamitnie: „Dlaczego? Dlaczego?!"

O, gdybyż to się jeszcze mogło powtórzyć! Nie wspomniałaby mu już o karpiach, o nie! Przychyliłaby głowę do tyłu i szepnęła uwodzicielsko: „Pocałuj mnie..."

Pochłonięta bez reszty imaginacyjną przygodą z brodaczem, Cesia nie zauważyła, że już od dziesięciu minut w klasie znajduje się Dmuchawiec. Dopiero jakiś głośniejszy okrzyk pedagoga, który kiwając się na krześle prowadził wykład na temat „Psałterza Dawidowego", wyrwał ją z kręgu marzeń. Lecz nie na długo. Rozejrzawszy się po klasie Cesia stwierdziła, że wszyscy oczywiście pochylają się nad zeszytami, sporządzając w zawrotnym tempie notatki z wykładu, co było nader mile widziane przez Dmuchawca. Profesor wprowadził w klasie system uniwersytecki i nie lubił, kiedy się kto z tego wyłamywał. Cesia złapała więc długopis i pochyliła się dla niepoznaki nad ławką. W jej zeszycie zamiast słów Dmuchawca zaczął się rysować demoniczny profil brodacza z płonącym okiem i włosami rozwianymi nad pięknym czołem.

Jak on właściwie ma na imię?

Allan.

Robert.

Francesco.

Czas płynął. Dmuchawiec barwnie rozwijał temat, zbliżał się koniec lekcji. Zeszyt Celestyny pokryty był gryzmołami. Piętnaście profilów i trzy portrety en face płonącookiego bruneta o namiętnych ustach oraz wiele wersji domniemanego imienia brodacza, wszystko to otoczone było girlandami kwiatów i spęczniałych serc. Cesia właśnie cyzelowała ostatnie z nich, kiedy jak przez mgłę usłyszała, że Dmuchawiec skończył wykład i teraz magluje Danusię.

Zanim się spostrzegła, niewiedza przyjaciółki została obnażona.

– Godne ubolewania widowisko – oświadczył Dmuchawiec uszczypliwie, z lekceważeniem machając ręką w stronę Danki. – Można by przypuszczać, że błysk inteligencji w twych oczach jest czczym mamidłem. Na twoim miejscu, panno Filipiak, postarałbym się nieco rozszerzyć swoje wiadomości. Wyraz tępej ignorancji jest tym, czego powinna unikać twoja urocza twarzyczka. U mnie masz dziś niedostatecznie. Sytuacja twoja wymaga natychmiastowej reakcji. Z matematyki leżysz na obu łopatkach, język angielski zawaliłaś, chemia i fizyka stanowią dwie twoje achillesowe pięty, że tak powiem. Interesuje mnie, co zamierzasz przedsięwziąć, by wykaraskać się z tego gipsu.

Danka stała milcząc. Jej twarz wyrażała niechęć i upór. Nauczyciel przysiadł na pulpicie sąsiedniej ławki.

– Dlaczego się nie uczysz? – spytał życzliwie, patrząc na Dankę spod okularów łagodnymi oczami krótkowidza.

Danka milczała uparcie.

– No, powiedz – zachęcił ją Dmuchawiec. – Nie bądź taka nadęta, bo robi ci się podwójny podbródek.

Danka natychmiast uniosła głowę.

– O, już lepiej – oświadczył Dmuchawiec. – To jak z tą nauką? – Nie chce ci się po prostu, co?

Danka spojrzała na niego z niedowierzaniem i po namyśle przytaknęła:

– Nie chce mi się.

– To jak? Rzucamy szkołę? – Dmuchawiec założył ręce i siedział sobie pogodnie, kiwając nogą. – I co? Za mąż czy do pracy fizycznej? Bo jeśli za mąż, to raczej za jakiegoś matołka. Normalni mężczyźni są w dzisiejszych czasach rozbestwieni: wybierają wykształcone dziewczyny.

Zapadła cisza.

– Hm... – powiedział Dmuchawiec. – Tak mi przyszło do głowy, czy nie byłoby najprostszym wyjściem po prostu nadgonić zaległości... Co? Zmówić się z jakąś pracowitą koleżanką, pouczyć się troszeczkę, i już po kłopocie. Co mówisz?

– No, właściwie... – wybełkotała Danka.

– Nie jest to takie głupie, prawda? Co byś powiedziała na naszą sympatyczną i pracowitą koleżankę Żak? To bardzo solidne stworzenie, chociaż dziś jak raz Celestyna całkowicie mnie ignorowała. Przez cały czas rysowała w zeszycie... chwileczkę, co to ona rysowała?

Nachylił się nad zmartwiałą Cesią i zajrzał do zeszytu. Zobaczył niezliczone portrety i inicjały, zająknął się, uśmiechnął i oświadczył:

– A, nie, jednak coś zanotowała... No, pewnie, jak mówiłem, nasza Żakówna jest stworzeniem pracowitym. – Zwrócił się do Cesi. – Nie miałabyś ochoty pomagać Danucie? Nie będzie to wdzięczne zajęcie, ponieważ dziewczę jest niechętne pracy umysłowej. No, co ty na to?

Cesia, która miała nogi miękkie z wrażenia – jakże niewiele brakowało, żeby wszyscy się dowiedzieli...! – pokiwała głową, nie mogąc wydobyć z gardła żadnego dźwięku. Zeszyt, zwinięty w trąbkę, trzymała kurczowo w obu rękach.

– Dobra – rzekł Dmuchawiec i poklepał ją po ramieniu, jak starego towarzysza broni. – No, to wpadła nasza Cesia. Od dziś spoczywa na niej poważna odpowiedzialność. Panno Filipiak, bądź łaskawa nie utrudniać życia przyjaciółce. O, dzwonek – podszedł do katedry i zebrał swoje rzeczy. – Żegnam was, młodzi ludzie. Do jutra.

Wyszedł. A za nim wybiegła Celestyna, która postanowiła na całą przerwę ukryć się gdzieś, żeby przypadkiem ten wstrętny Hajduk do niej nie zagadał. Nie mogłaby tego znieść, mając myśli i serce zaprzątnięte cudownym brodaczem.

13

Po południu Cesia i Danka zabrały się do nauki. Zasiadły w pokoju dziewcząt – ale wypłoszyły je dwie przyjaciółki Julii, które zjawiły się z wielkim krzykiem i śmiechem, żeby oblewać zaliczenie z grafiki warsztatowej. Wobec tego Cesia i Danka udały się do pokoju stołowego, gdzie jednakże właśnie nakrywano do obiadu i skąd Wiesia wyprosiła je grzecznie, lecz stanowczo. W kuchni mama zajmowała się odgrzewaniem świątecznego bigosu. W pokoju rodziców ojciec pisał referat na jakieś ważne sympozjum. Dziadek w swym ustroniu rozgrywał sam ze sobą mecz szachowy wariantem Spasskiego, a w przerwach meczu pozwalał sobie na króciutkie drzemki.

– Nie masz gdzie się uczyć – stwierdziła Danka z zadowoleniem.

– To ja idę do domu.

– Nie ma mowy – zdenerwowała się Cesia. – Obiecałam Dmuchawcowi.

– A, daj spokój – powiedziała Danka przymilnie. – Nie musimy tak od zaraz...

– Musimy – uparła się Celestyna. – Chodź ze mną – pociągnęła przyjaciółkę za rękę i obie zniknęły w drzwiach prowadzących na strych.

Schodki wiodące na wieżyczkę pachniały myszą. W samym wnętrzu wieży było przeraźliwie zimno, niemiło i absolutnie niezachęcająco. Cesia wszakże nie upadała na duchu.

– Można z tego zrobić przemiły pokoik – oświadczyła. – Nie masz pojęcia, jaka ohydna była ta stara spiżarnia, z której mamy sypialnię Julia i ja. Przeprowadzi się cały system przedłużaczy. W skrytce poniżej jest gniazdko. Postawi się piecyk elektryczny i mamy wspaniały kącik do nauki.

Danka przejawiła zainteresowanie.

– To można by tu przynieść i adapter?

– Jasne. Jasne – zachęcała ją Cesia. – I maszynkę do robienia herbatki. Pełny luksus.

Zadowolone zeszły na dół, do mieszkania, gdzie raził powonienie silny zapach przypalonego bigosu. Danka uznała wobec tego, że dość już zajmowała się sprawami ducha, i pognała do domu na obiad, przysiągłszy uprzednio Cesi, że dziś wyjątkowo sama odrobi lekcje.

Cesia udała się do kuchni, gdzie kierowana instynktem wyrobionym przez wielorazowe doświadczenie usmażyła prędko dużą ilość jajecznicy ze szczypiorkiem. Z pełną patelnią oraz stosem talerzy pospieszyła do pokoju.

Rodzina siedziała już wokół stołu w napiętej nieco atmosferze.

– Naprawdę nie mam nic przeciwko emancypacji kobiet – mówił właśnie ojciec, trzymając w ręce talerz pełen czarnego bigosu i wpatrując się weń z odrazą. – Twórz, kochana Irenko, pracuj, ale niech się to nie odbywa kosztem mojego żołądka.

– Ależ, Żaczku! – mama była pełna zdumienia. – Zawsze tak lubiłeś bigosik!

– Na sam widok takiego bigosiku dostaję nerwicowych skurczów – oświadczył ojciec z rozżaleniem i odstawił talerz. – Trudno, zjem sobie suchego chleba.

– Dlaczego akurat suchego? – spytała mama ze skruchą.

– Żeby było bardziej dramatycznie! – ryknął Żaczek.

Jajecznica Cesi zażegnała konflikt w zarodku. Obiad zjedzono we względnie pogodnej atmosferze. Jedna Julia siedziała z nieobecnym wyrazem twarzy, pełna smętnej zadumy. Dziadek nie zwracał na nic uwagi, czytając przy jedzeniu „Odciętą rękę" Cendrarsa.

Bobcio, który już piąty dzień czekał na rude włosy na piersi, korzystał z przywilejów chorego i nie przejawiał apetytu.

Cesia stwierdziła, że apetyt ma za trzech.

Coś się tu nie zgadzało. Wszak była zakochana! Brodacz z jego zmysłowym spojrzeniem nie wychodził jej z myśli. O kimże myślała przez całą lekcję polskiego? A potem na matematyce? I w drodze do domu? Julia, która zakochana była w Tolku, nie tknęła jajecznicy. A Cesi smakowało... Drugą niepokojącą rzeczą było, że na samo wspomnienie brodacza zbitego z nóg i gmerającego się w śniegu, Celestynę ogarniała niepohamowana chęć ryknięcia śmiechem. Zwłaszcza że od chwili, kiedy wróciła z randki i opowiedziała wszystko rodzinie, przygoda jej stała się ulubionym tematem wygłupów i docinków, tak że w końcu przeobraziła się raczej w humorystyczną nowelkę niż romantyczne wspomnienie.

Ale brodacz był cudowny, tak czy inaczej.

Cudowny, nie ma dwóch zdań.

Niebiański.

Cesia wrąbała trzy grube pajdy chleba i pełen talerz jajecznicy i ku swojemu zdziwieniu stwierdziła, że jest w dalszym ciągu głodna i mogłaby zjeść jeszcze ów przypalony bigos.

Więc zjadła.

Trochę się obawiała, co powie rodzina na widok jej niezwykłego apetytu, ale nikt na Cielęcinę nie patrzał, bo właśnie mama prezentowała wszystkim małą, niekształtną figurkę z ceramiki.

– No, tylko popatrz, Wiesiu. No, popatrzcie wszyscy. Czy to nie śliczne?

– Bardzo milutkie – przytaknęła ciocia Wiesia nieuważnie, zabierając się do bigosu.

– Dzieciak pięcioletni, a jaki zdolny – zachwycała się mama. Praca z dziećmi w Pałacu Kultury stanowiła jej pasję. Mniej więcej co dwa tygodnie odkrywała nowy talent w którymś ze swoich podopiecznych.

– A co to ma być? – spytała Cesia.

– Jak to, nie widzisz? – oburzyły się od razu artystki. – No, królik przecież. W skoku.

– Wygląda mi raczej na żmiję – mruknął z boku dziadek, przypatrując się figurce przez okulary. – W skoku.

– I dlaczego to jest zielone? – spytał ojciec prosto z mostu.

– Jesteście beznadziejni – powiedziała mama z westchnieniem. – To na pewno nie żmija. To królik. W skoku.

– Co to, zielonego królika nie widziałeś? – przyłączyła się Julia. – Zresztą, może ten mały chciał coś wyrazić kolorem. Na przykład, że królik jest zintegrowany z łąką.

Mama westchnęła.

– Raczej nie – przyznała cicho. – Po prostu nie było już żadnego innego szkliwa. Tylko zielone.

Ojciec się rozczulił.

– Moja uczciwa Irenka – pocałował żonę w czoło. – Moje złotko.

– Na pewno chcesz, żebym zrobiła herbaty – powiedziała mama domyślnie.

– Owszem, a skąd wiesz?

– Skąd wiem, to wiem. Ale nie zrobię. Pamiętajcie, że mam żylaki. Dziś miałam dwie grupy czterolatków, a ich nie można ani na chwilę spuścić z oka. Nie usiadłam przez bite dwie godziny.

– Najszlachetniejszy idzie zrobić herbatę – ogłosiła Julia. – Cóż to, nikt nie wstaje?

– Ja mam podagrę – mruknął dziadek znad Cendrarsa. – No i jestem siwy jak gołąb.

– Ceśka, zrób no herbatki.

– A kto robił jajecznicę?

– Ty – przyznali. – Julia niech idzie.

– A co wy się tak wygłupiacie? – zainteresował się Bobcio ze swego kącika.

Skarcono nieletniego. Stanowczo za wiele sobie pozwalał. Zresztą, czy on był w stanie pojąć, jakiego wysiłku woli wymaga wyprawa z pokoju stołowego do kuchni, zwłaszcza kiedy na dworze wicher taki, że aż dach dudni. W pokoju jest ciepło i zacisznie. A kuchnia jest zimnym, niemiłym pomieszczeniem, niemal zawsze pełnym brudnych naczyń, garnków i całej masy niezrozumiałych rupieci. Komu by się chciało tam chodzić.

– No to już ja pójdę – powiedziała Cesia podnosząc się niechętnie.
– Ktoś dzwoni – ożywił się Bobcio. – Może Nowakowski!
– Cesia, otwórz no – rzekł dziadek.

14

Los puka do drzwi na różne sposoby. Niekiedy odbywa się to rozgłośnie, w pełni dramatycznie – niekiedy zaś cicho i podstępnie. W tym wypadku Los zaanonsował się niepewnym sygnałem dzwonka.
– Dzień dobry, cześć. Jest Julia? – powiedzieli chórem stojący na progu artyści.
– Dzień dobry, cześć. Jest Julia – odpowiedziała Cesia.
Weszli. Było ich troje. Tolo i kędzierzawy Wojtek wiedli z estymą rudowłosą Krystynę, która była zapłakana i blada.
– No, idź, idź po Julię, moje dziecko – powiedział Tolo ze zniecierpliwieniem. Po czym bez zbędnych ceregieli śmiało otworzył drzwi pokoju dziewcząt i wprowadził tam swoją grupkę.
Cesia patrzała za nimi ze zdziwieniem, zauważając mimochodem, że Krystyna jest ubrana w zbyt chyba obszerny płaszcz oraz że kędzierzawy dźwiga wypchaną walizkę i czajnik.
Ten ostatni przedmiot skojarzył się jej z herbatą – skoro już marznie w tym hallu, to chociaż niech będzie z tego jakiś pożytek. Zawołała Julię i pospieszyła do kuchni, by przygotować rodzinie poobiednią porcję teiny. Kiedy się z tym zadaniem uporała, podreptała z tacą do pokoju, łokciem nacisnęła klamkę i weszła do wnętrza z uczuciem, że niespodziewanie wpadła w oko cyklonu.
Julia stała przed zwartym frontem rodziny i mówiła dobitnie:

– Nadeszła dla was chwila próby. Teraz się okaże, czy jesteście potworni drobnomieszczanie, czy też macie w sobie jakieś ludzkie uczucia.

– Dlaczego ona nas obraża? – krzyknęła mama do Żaczka z wyraźną pretensją w głosie.

– Julio, dlaczego nas obrażasz? – spytał ojciec, wznosząc oczy do nieba.

– Powiem krótko – oświadczyła Julia, ze złością ściągając czarne brwi. – W moim pokoju znajduje się człowiek w potrzebie. Musi zamieszkać u nas przez jakiś czas.

– Jaki znów człowiek? – zdenerwował się Żaczek.

– Z mojego roku. Bez dachu nad głową – wyjaśniła Julia. – Małorolny ojciec w województwie rzeszowskim. Co wy na to?

– Jakiej płci jest ten człowiek? – spytał Żaczek bezwzględnie.

– Żeńskiej, oczywiście. Jakiej mógłby być?

Ojciec westchnął.

– Istnieje jeszcze alternatywa. Ale jeśli to dziewczyna, to niech zamieszkuje.

– Przecież Julia z początku mówiła o jakimś młodym małżeństwie! – przypomniała mama niespokojnie.

– No, bo oni są małżeństwem, Krystyna i Wojtek – wyjaśniła Julia. – Tragiczna sytuacja, nie mają mieszkania.

– Nic nadzwyczajnego – burknął dziadek. – Ileż to młodych małżeństw nie ma mieszkania, panie tego. Czy my się musimy zajmować każdą z tych par?

– Nie każdą, tylko tą! – warknęła Julia. – Mamy nadmetraż na pracownię. Czy wam nie wstyd mieć nadmetraż na pracownię, podczas gdy inni nie mają nawet gdzie spać? Krystyna spodziewa się dziecka i kiedy zauważyła to ta jędza, u której wynajmowali pokój, kazała im się wynosić.

– To rzeczywiście tragiczne – Żaczek wystąpił w obronie uciśnionych. – Uważam, że należałoby im jakoś pomóc.

– Mogą mieszkać u nas czy nie? – krzyknęła Julia groźnie.

Zrobiło się jakoś cicho.

– Oboje? – spytała mama słabym głosem.

– No więc chociaż Krystyna – ustąpiła Julia. – Wojtek może spać na waleta w akademiku. Albo u Tolka. To wszystko nie na długo, głupie parę miesięcy. A potem jakoś się ułoży.

– A kiedy to dziecko ma przyjść na świat? – zainteresowało mamę. Julia utknęła.

– No, niedługo... właściwie, jest jeszcze mnóstwo czasu... – powiedziała głosem sztucznie beztroskim.

– A konkretnie? – spytała mama, która miała najgorsze przeczucia.

– Konkretnie... to nie wiem – zełgała Julia, łamiąc palce ze zdenerwowania. – Mamo, proszę, nie mnóż trudności.

– Ja nic nie mnożę! – wybuchnęła mama. – Mnie tylko ciekawi, kto będzie spać na składanym łóżku.

– Ja będę spać na składanym łóżku – oświadczyła Julia zdecydowanie.

Dopiero wobec tego zapewnienia Cesia zdecydowała się podjąć kroki mediatorskie.

– Herbatka!... – zawołała promiennie.

Podanie herbatki zawsze działało uspokajająco na rodzinę Żaków. Zasiedli wszyscy przy okrągłym stole i z lubością poczęli kontemplować aromatyczny, złotoczerwony płyn, w najlepszej zgodzie przerzucając się uprzejmymi prośbami o przysunięcie cukiernicy.

Ciocia Wiesia wydobyła z szuflady kredensu kruche ciasteczka i zaproponowała, żeby może poczęstować tkwiących wciąż w sąsiednim pokoju artystów. Julia uniosła więc talerz z ciastkami, uspokojona co do losów przyjaciółki, rodzina zaś w dalszym ciągu sączyła herbatkę. Było cicho i miło, jak to po burzy. Lampa po babci Celestynie znów jednoczyła wszystkie głowy złotą obręczą światła. Bobcio smacznie posapywał w pościeli, kapiące z dachu krople uderzały miarowo o blaszany parapet.

I oczywiście nikomu nie przyszło do głowy, że zaczyna się nowa era w życiu rodziny.

III

1

Wśród porywistych wichrów i nagłych ulew nadszedł niepostrzeżenie luty. Żółty dom z wieżyczką opierał się dzielnie przeciwnościom pogody i chociaż tu i ówdzie przeciekał, dawał jednak bezpieczne schronienie wszystkim swoim mieszkańcom. Coraz jaskrawiej świecące słońce zaglądało przez zakurzone szyby do zakurzonego mieszkania Żaków, gdzie w pełnej symbiozie żyło już osiem osób. Krystyna okazała się mało kłopotliwą lokatorką. Żywiła się z uporem topionymi serkami i chlebem, obiady jadła w stołówce, do łazienki wkradała się chyłkiem, kiedy wszyscy już spali. Obie z Julią cały dzień spędzały na wykładach i zajęciach albo na prowadzeniu życia towarzyskiego. Ponieważ jednak do późnej nocy zajmowały się pracą twórczą, Celestyna była jedyną osobą w domu, której przybycie Krystyny dało się we znaki. Jak przewidywała od początku, zmuszona była wynieść się z pokoju dziewcząt i sypiać w pokoju stołowym na składanym łóżeczku. Jednakże pokój stołowy zamieszkiwała ciocia Wiesia z Bobciem, poza tym służył jako jadalnia, salon telewizyjny, pracownia rysunkowa Bobcia i skład Bobciowych zabawek, których była ilość nadmierna. Krótko mówiąc, Celestyna nie miała własnego kąta.

– Czy nie mogłybyśmy uczyć się u ciebie? – spytała któregoś dnia, gdy Danka ze szczególnym męczeństwem na twarzy usiłowała napisać wypracowanie wśród rozłożonych na stole klocków Bobcia.

– U mnie nie ma warunków – odpowiedziała spiesznie Danka, która zdecydowanie przedkładała pracę w warunkach spartańskich nad obmierzłe luksusy swego pokoju, gdyż jak wiadomo, te pierwsze stanowią przynajmniej niezłą wymówkę w razie niepowodzenia.

Wszystko wskazywało na to, że trzeba się urządzić na wieży. Po uzyskaniu zgody mamy, pewnego popołudnia przyjaciółki zataszczyły na wieżę piecyk elektryczny, materac dmuchany, koce, lampę, adapter „Mister Hit", stos płyt, garnek, grzałkę do wody, paczkę herbaty, cukier, łyżeczki, kubki – no, i oczywiście, książki i zeszyty.

Urządzanie wieżyczki było zajęciem rozkosznym i pochłonęło Cesię i Dankę do tego stopnia, że dopiero na drugi dzień przypomniały sobie, w jakim celu właściwie izolują się od świata. Zainaugurowały więc wspólną naukę, doprowadzając prąd z kontaktu w spiżarni i przesłuchując cały longplay Maryli Rodowicz.

– Ona jest cudowna – powiedziała Danka w rozmarzeniu.

– Cudowna – zgodziła się Cesia. – Weźmy się za matmę.

– No, zaraz. Chwilkę – Danka wyciągnęła się na materacu dmuchanym i przykryła kocem. – Postaw no teraz Niemena.

Cesia była osobą obowiązkową i skrupulatną do przesady.

– Dałam słowo Dmuchawcowi, że cię wyciągnę z dwój – oświadczyła.

– Tak, tak – powiedziała Danka w roztargnieniu. – Uwielbiam ten moment, jak on tak, rozumiesz, łka. Niemen, oczywiście.

– Jest świetny – przytaknęła Cesia. – Naprawdę świetny. Słuchaj, weźmy się do nauki.

– Można by zaparzyć herbatę – ożywiła się Danka.

– I co jeszcze? – zdenerwowała się Cesia. – Danka, czy do ciebie nie dociera, że masz dwóje?

– Szczerze mówiąc, nie martwi mnie to specjalnie – powiedziała uprzejmie Danka. – Nie denerwuj się, oczywiście będę się uczyć, ale musisz mi dać trochę czasu na przełamanie oporów. Matematyki to ja po prostu nienawidzę.

– Danka! – jęknęła Cesia – ja już nie mam sił. Przecież wiesz, że musisz!...

– W dodatku – ciągnęła Danka, przymykając swe tajemnicze oczy i bawiąc się długim pasmem włosów opadającym jej na ramię – w dodatku Paweł się na mnie gniewa.

– Przecież to ty gniewasz się na niego! – warknęła Cesia.

– A rzeczywiście. Już mi się mylą te wszystkie kłótnie. Tak czy inaczej, czuję się tragicznie samotna. Tragicznie. Wszystko wokół jest pozbawione sensu i często jedynym wyjściem wydaje mi się śmierć! – westchnąwszy dogłębnie Danka padła na wznak, jakby ciężar zbyt trudnej a zbędnej egzystencji po prostu ją powalił. Cesia wystraszyła się.

– Nie gadaj głupstw. Życie jest piękne.

– Głupia jesteś – niechętnie mruknęła Danka i wycofała się w głąb swego pełnego znaczeń milczenia.

– Naprawdę piękne – próbowała dalej Cesia. – Po prostu, ee, tego, wspaniale.

Danka uniosła się lekko na łokciu i obdarzyła przyjaciółkę długim, pełnym ironii i pobłażliwości spojrzeniem.

– Dla takich nieskomplikowanych istot jak ty... – powiedziała – wszystko jest wspaniałe.

– Ja jestem nieskomplikowana?! – Cesia aż drgnęła z urazy.

Danka ziewnęła leciutko.

– Ach, dajmy temu spokój – powiedziała. – Chcesz, powiem ci wiersz.

– Wiersz?

– No, posłuchaj – powiedziała Danka i zerwawszy się z materaca, z niespodziewanym zapałem wydeklamowała:

– Po suchych trupkach iluzyjnych begonii
szeleszcząc stopami w zgasłych motylach
idę
mijając rumowisko swoich uczuć
wdychając bezskutecznie zetlałe zapachy
przeminionych lat i kwitnień
żegnaj mi, życie, brudna czerni i kałużo
tego to już naprawdę za dużo!

Zapadła cisza. Danka stała wciąż jeszcze z wyciągniętą przed siebie ręką, a w jej pięknych oczach palił się płomień natchnienia. Cesię przeszył dreszcz.

– Jak ty pięknie deklamujesz – powiedziała.

Danka ocknęła się.

– Deklamuję?... Ach, prawda, nie powiedziałam ci przecież, kto napisał ten wiersz.

– No, kto?

– Ja – rzekła Danka z prostotą.

– Boże! – wyrwało się Cesi. – Ty?!

– Ja.

– Ależ... to... wspaniałe!... Ty jesteś genialna! Ty jesteś... – jąkała się Cesia, kompletnie zdruzgotana zachwytem.

– Tak – skromnie przyznała Danka.

– Nie przypuszczałam nawet...

– Właśnie.

– O, zobaczysz, ty będziesz wielką poetką!

– Niewykluczone – westchnęła Danka.

– Nie przypuszczałam, że jesteś taka wybitna... ja bym nigdy w życiu czegoś podobnego nie napisała...

– Sądzę, że masz rację – przyznała Danka. – Ty naprawdę jesteś jeszcze trochę niedorosła. Poezja tego typu wymaga bądź co bądź jakiejś dojrzałości i wewnętrznej prawdy.

– Tak, bez wątpienia – smutno powiedziała Cesia.

– A to przecież nie był najlepszy z moich utworów – skromnie dodała Danusia.

– To ty masz ich więcej??

– Rzecz oczywista. Teraz rozumiesz, dlaczego nie mam czasu na naukę.

Cesia oprzytomniała.

– Chwileczkę. No, może jestem w stanie to pojąć... częściowo... ale przecież nauka w naszej sytuacji jest koniecznością.

Danka westchnęła.

– Toteż tylko dlatego zgadzam się z tobą współpracować. – Usiadła znów na materacu, podwijając wdzięcznie swoje długie, smukłe nogi. Cesia patrzała na nią z zachwytem.

– Jesteś cudowna – wyrwało się jej spod serca.

Danka uśmiechnęła się pobłażliwie.

– Nie przesadzaj... Wiesz co? Postaw no płytę z Niemenem. On mnie szalenie inspiruje.

Gdy Cesia rzuciła się gorliwie do adapteru, dodała:

– I zrób kawy. Zimno tu piekielnie. Napijemy się i powiem ci jeszcze kilka moich wierszy.

2

Mama Żakowa znajdowała się w kuchni, gdzie zmywała naczynia jednocześnie czytając powieść fantastyczno-naukową pod tytułem „Dzień tryfildów". Nie mogła absolutnie oderwać się od lektury, toteż ustawiła książkę na szczycie skomplikowanej konstrukcji ze słoików i szklanek, wspartej na skraju zlewu. Czytając, od niechcenia brała co jakiś czas talerz lub widelec i z poczucia obowiązku trzymała go pod

strumieniem gorącej wody, dopóki nie poczuła, że pieką ją palce. Wtedy odkładała sztuciec i ze spokojnym sumieniem czytała dalsze pięć minut, po czym powtarzała całą operację od nowa. Była już w połowie książki (właśnie grupka ślepców snuła się po opustoszałym mieście, poganiana przez śmiercionośne tryfidy), gdy nagle ktoś wtargnął brutalnie w ten cudowny świat. Na progu kuchni stała Julia z Tolem i brodaczem i uśmiechając się mile, pytała o coś do jedzenia.

– Precz! – powiedziała mama w roztargnieniu i wróciła do lektury.

– Mamo... – szepnęła Julia, rzucając nieco spłoszone spojrzenie na Tolka. – Choćby trochę kanapek...

– Powiedziałam, żebyś znikła – mruknęła mama, śledząc z przerażeniem tryfida nadnaturalnej wielkości, który smagał ślepców swą trującą wicią.

– Ależ, mamo... powiedz chociaż, gdzie jest masło, to sama zrobię...

– Masła nie ma – warknęła wściekle mama Żakowa wlepiając w książkę oczy pełne popłochu. – Nic nie ma, w ogóle nic, powiedziałam, żebyś znikła.

Julia pokiwała głową. Podeszła do matki, rozwiązała jej fartuch, zakręciła kran nad zlewem i powiedziała słodko:

– Idź, mamuś, do pokoju i poczytaj w kulturalnych warunkach. Ja pozmywam.

– Ty? – zdumiała się nietaktownie mama. – A co się stało? – jeszcze nie bardzo zdawała sobie sprawę, że na progu kuchni stoi wyśniony Toleczek.

Julia uśmiechnęła się słodko i fałszywie.

– Po prostu chcę pozmywać. Jak zawsze.

– Jak zawsze? – zdumienie mamy nie miało granic. – O ile pamiętam... – tu spojrzenie jej padło na czyjąś blond czuprynę i różowe, odstające uszy. – Ach! – krzyknęła domyślnie. – Oczywiście! Oczywiście! Jak mogłam zapomnieć! Jak zawsze dobra córka i znakomita gospodyni! – wypadło to może trochę nazbyt przekonująco. Julia zagryzła usta i delikatnie odprowadziła matkę od zlewu.

– Witajcie, moi mili – przemówiła mama do młodzieży, ze szczególną uprzejmością uśmiechając się do Tolka. – Przepraszam za moje roztargnienie, właśnie czytam znakomitą książkę.

Tolo spojrzał na okładkę.

– A rzeczywiście znakomita! Sam niedawno skończyłem.

Mama obdarzyła go spojrzeniem pełnym impulsywnej sympatii.

– Koszmarne, co?

Julia stanęła przy zlewie i zaczęła zmywać, starając się przy tym wyglądać fachowo a wdzięcznie zarazem. Mama i Tolo, którzy nagle znaleźli wspólny język, wiedli w najlepsze głośną rozmowę o Wyndhamie i o science-fiction w ogóle, gdy nagle mama Żakowa opuściła przypadkiem wzrok i skamieniała.

– Ćśś! – szepnęła takim głosem, jakby ujrzała obok swojej nogi miniaturowego tryfida.

– Co się stało? – spytał Tolo ledwie dosłyszalnym szeptem.

Mama wolniutko przyłożyła palec do ust, a następnie tym samym palcem wykonała pospieszny, ukradkowy ruch wskazując nim owo coś, co znajdowało się na podłodze. Tolo, któremu udzieliło się jej przejęcie, z obawą poruszył gałkami ocznymi i nie zmieniając położenia głowy, spojrzał zezem w dół. Ujrzał białe stworzonko, w zrelaksowanej pozie spoczywające pod ścianą.

– O! – powiedział.

– Właśnie! – szepnęła mama Żakowa.

– Mysz, słowo daję! – zauważył rozradowany brodacz.

– Ćśś! – podskoczyła mama.

– Dlaczego ćśś? – zdziwił się brodacz.

– Bo usłyszy, że o niej mówimy.

– Ależ – jąkał się brodacz – ona chyba nic nie rozumie...

– A, rzeczywiście – zreflektowała się mama Żakowa.

– Przecież przez cały czas rozmawialiśmy głośno, a ona się nie spłoszyła – nieco odważniej zauważył Tolo.

W tej chwili zmywająca Julia zorientowała się, o czym mowa. Niewiele myśląc odstawiła myty właśnie talerz, wytarła ręce, podeszła do Tola i ujrzawszy mysz na własne oczy – zasłabła wdzięcznie, wybierając sobie ramiona Tola jako ostatnią opokę.

3

– Coś jest z tymi myszami – rzekł dziadek przy kolacji.

– Ależ skąd! – powiedział Bobcio, dłubiąc w bułce łyżeczką.

- W tym domu nigdy nie było myszy – ciągnął patriarcha rodu.
- Powtarzam, nigdy, panie tego! Najmniejszej szarej myszki, a cóż dopiero białej!
- Ale teraz są! – wrzasnęła Julia, uderzając pięścią w talerzyk.
- Julio, bez histerii – zwrócił jej uwagę ojciec. – Poproszę o musztardę.
- Już nigdy, nigdy, nigdy! – krzyczała Julia.
- Co nigdy? – zainteresował się dziadek.
- Nigdy nie pomyśli o mnie inaczej jak „ta od myszy"!
Ojciec uśmiechnął się kątem ust.
- Mógłby cię nazywać swoją maleńką, szarą myszką.
- Białą – skorygował dziadek.
- Kocham cię, Myszko – powiedziała Cesia na próbę. – Myszko, zostań mą na zawsze.
- Zamknij się! – wybuchnęła Julia.
- Dziewczynki, przestańcie – łagodziła mama.
- Stanowczo coś jest z tymi myszami – powtórzył dziadek krając sprawnie kiełbasę.
- Ależ skąd – niepewnie powiedział Bobcio.
- Jakoś zawsze pojawiają się w okolicy kuchni.
- To zrozumiałe – wtrąciła mama. – Ciągnie je do żywności.
- Za życia i po śmierci – zadowcipkowała Cesia.
- Dedukuję, że mają gdzieś w pobliżu norkę – rzekł ojciec.
- Pewnie w starej spiżarni – odkryła mama – albo na strychu.
- Ależ skąd! – powiedział Bobcio rozpaczliwie.
Ciocia Wiesia spojrzała na niego z nagłą uwagą.
- Bobek? – powiedziała. – Czyżbyś ty miał coś wspólnego z tymi myszami?
- Ja? – krzyknął Bobcio łzawym głosem. – Ależ skąd?!
- Wiesz, Wiesiu, że ty masz instynkt – powiedział z uznaniem dziadek. Wycelował we wnuka widelec i huknął: – Gadaj mi zaraz! Gdzie myszy?
- Nie powiem! – heroicznie krzyknął Bobcio, prężąc pierś. W oczach miał łzy i drżały mu usta.
- No, tak – wycedziła Julia. – Sprawa jest oczywista.
- Bobek, dostaniesz cięgi, panie tego – postraszył dziadek. – Zaraz mów, gdzie myszy!

Bobcio zaciął usta, jakby w obawie, że okrutny starzec wyrwie mu zeznanie wraz z językiem. Pokręcił głową z taką mocą, że omal nie skręcił sobie karku.

– Nie powie – stwierdziła ciocia Wiesia. – Przepadło.

Mama z namysłem mieszała w szklance łyżeczką.

– Bobcio, a kto dał ci myszki?

– Nowakowski – powiedział Bobcio odruchowo.

– Dwie, prawda?

– Tak – chlipnął ufnie chłopczyk. – Samczyka i samiczkę.

– Cholerny Nowakowski – jęknęła Julia.

– Miło mieć myszki, co? – pytała łagodnie mama.

– Tak! – żarliwie wyznał Bobcio. – Już dwa razy im się urodziły dzieci! Takie malutkie, łyse, podobne do robaków.

– Yyyy – wyrwał się Julii okrzyk obrzydzenia.

– One rosną bardzo szybko – rzekł z czułością Bobcio.

Żaczek spojrzał na niego w zamyśleniu.

– Nasz malutki sąsiad Nowakowski, hę?

– Racja! – ucieszył się dziadek. – Sąsiad, tym lepiej, panie tego, nie będzie problemu ze zwrotem inwentarza. W ostateczności podrzuci mu się to barachło pod drzwi.

– Tak, synku – zdecydowała ciocia Wiesia. – Jutro odszukasz wszystkie myszki i oddasz je Nowakowskiemu.

Z Bobcia trysnęły łzy rozpaczy.

– Wiedziałem! Wiedziałem! Nigdy mi na nic nie pozwalacie! Psa mi nie chcecie kupić, a teraz nawet tych biednych myszek mieć nie mogę, chociaż nic nie kosztowały!...

Członkowie rodziny, zakłopotani, spojrzeli po sobie.

– Głupia sprawa – rzekł Żaczek.

– Dziecko ma rację – powiedziała mama Żakowa. – Bobcio, chyba jedną myszkę będziesz mógł zatrzymać, co, Wiesiu? Powiedzmy, samczyka. A całą resztę odniesiesz Nowakowskiemu. Jego rodzice na pewno zwariują ze szczęścia.

– Hu-hu! – zaśmiała się Julia.

– Myszka solo, ale za to będziesz mógł ją trzymać w pokoju – pospieszyła ciocia Wiesia. – Kupię ci specjalną klateczkę, dobrze?

– Dobrze – uspokoił się Bobcio.

– A gdzie ty je trzymałeś dotychczas? – zainteresował się dziadek.

– W spiżarni zeznał Bobcio. – W tej starej szafie.

– No i po problemie – rzekł ojciec do Julii. – Znów będziesz mogła rozbudzać romantyczne porywy w swoim wybrańcu. O ile, oczywiście, w domu nie pojawią się karaluchy.

4

Lekcja wychowawcza. Jak zwykle Dmuchawiec osunął się na krzesło za katedrą tak bezwładnie, jakby nagle w jego stawach obluzowały się jakieś śrubki.

– Nie mam zdrowia na to wszystko, słowo daję – powiedział w przestrzeń przeziębionym głosem. – Wszyscy obecni? Doskonale, oszczędzimy sobie odczytywania listy obecności. Należy w miarę możliwości eliminować z naszego trudnego życia czynności zbędne lub absurdalne. Tak. Zmuszony okolicznościami, zdecydowałem zająć się dzisiaj sprawą ankiety z zeszłego tygodnia.

Westchnienie klasy. Znowu ankieta. On ma chyba fioła z tymi ankietami.

– Nie wzdychać, nie wzdychać – skarcił klasę nauczyciel. – Ankiety moje tylko pozornie są nudnym wymysłem starego dziwaka; w istocie słuszniej byłoby powiedzieć, że są nimi tylko z waszego punktu widzenia. Dla mnie niechlujne te świstki stanowią kopalnię wiedzy o was. – Dmuchawiec wstał, wytarł nos, schował chustkę i przeszedł się po klasie. – Jest źle – oznajmił.

Klasa objawiła lekki niepokój.

– Ogólny wasz obraz rysuje mi się niepokojąco – wyznał wychowawca. – Wszyscy jesteście bardzo grzeczni. Moim zdaniem, młodzi ludzie nie powinni być tacy grzeczni.

Lekki szmerek zdziwienia.

– Wiecie, jacy powinni być młodzi ludzie moim zdaniem? – spytał Dmuchawiec.

Chwila ciszy.

– Wiemy, wiemy – głos z tylnych ławek.

– Który tam wie? – zainteresował się Dmuchawiec.

Milczenie.

– No, więc właśnie – odezwał się Dmuchawiec z rozczarowaniem. – Nie wstanie i nie powie, co myśli. Boi się. Czego? – trudno zgadnąć. Nie jesteśmy przecież nastawieni na dwóje za złą odpowiedź. Nie zamierzam również wyrzucać swojego ucznia ze szkoły tylko dlatego, że powie on otwarcie, iż jestem nudziarzem. Prawda, nie znacie mnie dostatecznie. Być może uważacie, że mam upodobania policyjne. Tego by dowodził fakt, że większość z was zmienia w ankietach charakter pisma lub podaje niekompletne dane o sobie, w obawie, bym nie rozpoznał autora po tym, że ma dwóch braci i rower.

Śmieszek na sali. Lekkie odprężenie.

– A jakiż był temat ankiety? – szydził Dmuchawiec. – Jakież to bolesne pytanie zostało zadane? „Kim jestem? Co chcę osiągnąć w życiu?" A jakież to wyznania intymne i sekretne, jakiż to strumień dramatycznych zwierzeń snuje się poprzez te stroniczki? – przysunął kartki do oczu i odczytał sarkastycznie: – „Jestem uczniem klasy I LO. Moim hobby jest gra na gitarze i kolekcjonowanie zdjęć Krzysztofa Krawczyka. Mam też psa, bo bardzo lubię zwierzęta. Pies ma na imię śmiesznie, Begonia. W przyszłości chciałbym poświęcić się Sztuce". – Dmuchawiec spojrzał na klasę. – Panno Kowalczuk, czy byłabyś uprzejma wyjaśnić mi, dlaczego uznałaś za konieczne zmienić charakter pisma i udawać ucznia, skoro jesteś uczennicą? Wszak zaledwie tydzień temu spotkałem cię w parku Sołackim wraz z psem Begonią i nie jest dla mnie tajemnicą, że kolekcjonujesz zdjęcia Krzysztofa Krawczyka, ponieważ sama mi o tym powiedziałaś. Skąd więc ten lęk przed ujawnieniem się? Czy nigdy nie będziesz miała odwagi podpisać się pod swoimi wyznaniami? A co będzie w dorosłym życiu, kiedy trzeba jasno określić swoje stanowisko, opowiedzieć się po stronie uciśnionych lub walczyć ze złem?

Beata Kowalczuk z zakłopotaniem przygryzła wargi, wciskając głowę w ramiona. Dmuchawiec kazał jej usiąść.

– Połowa z was – powiedział – deklaruje, że w przyszłości zajmie się sztuką. Ani jedna osoba nie chce być politykiem. Dwie panienki odpowiedziały szczerze, że zamierzają wyjść po maturze za mąż i być wzorowymi matkami. Jedna chce być lekarzem. Jakiś przedsiębiorczy młodzieniec podaje plan dalekosiężny: chce założyć mały warsztat naprawy samochodów i rozbudować go w przyszłości do rozmiarów fabryczki. Na wszelki wypadek pisał lewą ręką, zapewne w obawie, bym nie storpedował jego planów.

Śmiech na sali, trącanie się łokciami.

– Wreszcie – rzekł Dmuchawiec odkładając plik kartek i pozostawiając w ręce tylko jedną – zajmijmy się jedyną wypowiedzią, która jest podpisana, chociaż ankieta miała być, jak pamiętacie, anonimowa. Posłuchajcie: „Kim jestem? – Jestem zlepkiem ogromnej liczby atomów, zawierającym w sobie niezliczone możliwości. Pisać jednakże o nich nie będę, ponieważ uważam ankiety za biurokratyczny wymysł psychologów. Zwłaszcza temat dzisiejszej jest wyjątkowo niezdarny. Z poważaniem, Jerzy Hajduk".

W klasie zapanowała cisza pełna osłupienia. Jerzy Hajduk, nie reagując na trafiające go spojrzenia, siedział nieruchomo, z kamienną twarzą indiańskiego wojownika.

– No i co o tym powiecie? – zainteresował się wychowawca tocząc wzrokiem po klasie. Nikt nie odpowiedział. – Słuchaj, Jerzy – Dmuchawiec podszedł bliżej ławki Hajduka. – Twoja klasa milczy. Nie wiesz przypadkiem, dlaczego oni milczą?

Hajduk powoli wzruszył ramionami.

– W swoim czasie – czepiał się nauczyciel – studiowałem dość wnikliwie podręczniki psychologii rozwojowej. Twierdzą one z uporem, że młodzież chętnie przyjmuje postawy skrajne, a nie uznaje zjawisk pośrednich, jest pełna idealizmu i wykazuje skłonności do agresywnej, powierzchownej krytyki i wyciągania pochopnych wniosków. Ale to mi zupełnie nie pasuje do was. Zupełnie, niech mnie kaci.

Hajduk uśmiechnął się ironicznie.

– On się uśmiecha – zawiadomił wszystkich nauczyciel. – Nie, no, poważnie, Jurku, mój przyjacielu, powiedz coś! Daję słowo, że istnieje coś takiego jak młodzieńczy idealizm i skłonność do agresywnej krytyki. Mam tego próbkę w klasie IIIa. Dlaczego twoja klasa składa się z ludzi tak ostrożnych?

Wyraźnie czekał na odpowiedź. Jerzy Hajduk wstał zasępiony.

– Klasę trzecią zna pan dłużej – mruknął. – A co do mojej klasy – nie mogę wypowiadać się w imieniu tych ludzi. Nie znam ich. Mogę mówić tylko w swoim imieniu. Jestem ostrożny i konformista, ponieważ muszę jak najszybciej dostać się na studia. Do tego potrzebne jest znakomite świadectwo i taka sama opinia. Nie zdobędę jej poddając wszystko młodzieńczej agresywnej krytyce i przyjmując postawy skrajne.

– Tak myślisz? – sapnął Dmuchawiec.

– Jestem o tym przekonany – chłodno odpowiedział Hajduk. – Już raz powtarzałem klasę za nonkonformizm.

W klasie nagle zaszumiało.

– On ma rację – wyrwał się z boku Pawełek. Wstał z przepraszającym uśmiechem. – Pan profesor zachęca nas do szczerości i tak dalej... ale czy może istnieć naprawdę szczery stosunek między nauczycielem a uczniami? Mnie się zdaje, że to niemożliwe.

– No, pewno! – huknął z ostatniej ławki mutacyjny barytonik.

– Szkoła jest z założenia antydemokratyczna – oświadczył swobodnie Pawełek. – Nie ma w tym nic dziwnego, ponieważ zachodzi tu stosunek władza – poddany. Dziwne tylko, że pan profesor tego nie widzi, bardzo przepraszam.

– My musimy tylko się uczyć i siedzieć cicho! – barytonik z ostatniej ławki robił się jakby śmielszy.

– Dopóki nie zdobędziemy dyplomu i pełnej samodzielności – dodał Pawełek.

– A właśnie, że nie! – krzyknął Dmuchawiec i złapał się za serce. – Nigdy nie zdobędziecie takiej samodzielności, która zwalniałaby was od życia problemami społeczeństwa! Kiedyś trzeba będzie wypowiedzieć się wyraźnie, przyznać rację słabym przeciwko silnym – o, na pewno życie postawi was przed takim problemem. Ale wy już nie będziecie umieli ani walczyć, ani ryzykować, bo przyzwyczaicie się do myśli, że najbezpieczniej jest nie wystawiać głowy. – Stał przed Hajdukiem i dźgał go palcem w piersi.

– Ja tu nie będę składał żadnych deklaracji – wściekł się Hajduk. – Pan profesor myśli, że ci z III a są szczerzy?

– Owszem.

– Nie wierzę w to ich gadanie. Po prostu wiedzą, czego się od nich oczekuje.

Hajduk przebrał miarkę. Dmuchawiec poczerwieniał, sapnął i zerwał z nosa okulary.

– No, wiesz!... Smarkacz! Za kogo ty mnie uważasz?!

– O, proszę – mruknął Hajduk.

Czarnowłosa Kasia zerwała się z miejsca. Była starościną klasy i miała najlepsze chęci.

– Nie, panie profesorze... On tak wcale nie myśli, jak mówi... to jest... my bardzo przepraszamy... no, Hajduk, przeproś pana profesora...

– Niby za co? – warknął Hajduk, który wyglądał wprost odstraszająco ze swoimi fantastycznymi oczami, ściągniętymi brwiami i wysuniętą dolną szczęką: – Za szczerą rozmowę?

Dmuchawiec uśmiechnął się ledwie dostrzegalnie i włożył okulary.

– No, co o tym myślisz? – spytał.

Pytanie skierowane było do Pawełka, ale trafiło w Celestynę. Podniosła się niepewnie, stremowana i czerwona.

– Ja... ja myślę... – zaczęła z pustką w głowie. Szybko oceniła wyraz twarzy profesora; Dmuchawiec nie wyglądał tak dobrodusznie jak zazwyczaj. – Ja myślę, że rację ma pan profesor – oświadczyła na wszelki wypadek.

– Ach, tak? – mruknął Dmuchawiec, a Hajduk poderwał głowę, jakby go kto uderzył.

– Tak, tak, z pewnością – dodała Celestyna z uczuciem, że spada w jakąś straszną otchłań.

– A konkretnie, w którym punkcie mam rację? – uprzejmie poinformował się wychowawca.

– No... w każdym... – brnęła Cesia, powstrzymując się od płaczu.

Czuła się obrzydliwie i podle. Niestety, w głowie miała zupełny chaos i nawet gdyby zebrała się na odwagę i spróbowała powiedzieć, co myśli naprawdę, byłoby to z pewnością coś żałośnie głupiego.

– Cesia jest tchórzem – powiedział krótko Dmuchawiec. – A Hajduk dał mi po nosie, ale wiecie co? On chyba ma rację...

W tym momencie Jerzy Hajduk poderwał się z miejsca z miną choleryka. Zgarnął z ławki zeszyty i książki, wcisnął teczkę pod ramię i bez słowa wyjaśnienia opuścił klasę, gwałtownie zamykając za sobą drzwi.

5

W godzinę później wciąż jeszcze stał na moście i wbijał niewidzące spojrzenie w mętne wody Warty.

Więc to tak, więc to tak. Więc taka ona jest.

Niepotrzebnie dał się wciągnąć w tę rozmowę. Stary spryciarz i tak wie swoje.

A Celestyna zdradziła, podle zdradziła. Stchórzyła, tak. Trudno, co prawda, wymagać od dziewczyny, żeby była odważna jak chłopak...

Ach, nie, nieprawda, nie oszukuj się, bałwanie. Powinna być odważna i silna i zawsze mieć własne zdanie na każdy temat, powinna być taka, jak myślałeś, że jest. Powinna wierzyć w ciebie i stać przy twoim boku... Chociaż właściwie – dlaczego? Kim jest dla niej Jerzy Hajduk? Nikim. Dobrze, no to i ona będzie nikim dla Jerzego Hajduka. Już nigdy, nigdy – żeby nie wiem co. Nigdy w życiu. Koniec. Co za wstrętna baba.

6

– Chciałem zapytać – rzekł Bobcio znad batalionu żołnierzyków – czy jest taki dom: dłubalnia?
– Co? – zdębiała ciocia Wiesia.
– Dłubalnia. Jak pływalnia do pływania, tak dłubalnia do dłubania.
– Dłubania? – ciocia Wiesia aż upuściła łyżeczkę.
– W nosie – wyjaśnił Bobcio. – Bo gdzie wolno? W tramwaju nie wolno, w domu nie wolno, na ulicy nie wolno... Nigdzie nie wolno. Powinna być dłubalnia.
Żaczek ryknął śmiechem.
– Oj, prawda, szczera prawda – powiedział wreszcie przerywanym głosem. – Ale gdzie by tu złożyć wniosek?
Cesia spojrzała z niesmakiem na rozbawioną grupkę. Jacyż oni trywialni! Żadnych wyższych uczuć, żadnej wzniosłości, och, okropni, przyziemni ludzie, prozaiczni i bez polotu. Rozmawiają oto z Danką jak ze swoją, nawet nie podejrzewają, z jakim wielkim umysłem mają do czynienia. Danka jest uprzejma, uśmiecha się leciutko i trochę może wyniośle... Ale w końcu trudno się dziwić. Obcowanie z bandą dowcipnisiów nie musi być zachwycające dla kogoś o tak delikatnej psychice. Od czasu gdy Danka ujawniła się jej jako poetka, Cesia popadła w trwały zachwyt i onieśmielenie. Nie bardzo nawet miała odwagę napędzać do nauki swoją cudowną przyjaciółkę. Ponadto bezustannie patrzyła na wszystko jak gdyby oczami Danki lub przynajmniej wyobrażała sobie, że to czyni i dochodziła nieodmiennie do

wniosku, że otaczający świat jest dla tej utalentowanej i bezbronnej istoty zbiorowiskiem cierni oraz nieustanną obrazą dla jej subtelności. Wierne serce Cielęciny płonęło silnym uczuciem przyjaźni i chęcią usunięcia spod nóg Danusi wszystkich kolców i przeszkód.

– Przestańcie! – powiedziała ostro. – Nawet nie wiecie, że Danka pisze wiersze!

– Oooo! – wrzasnęli chórem, jakby się zmówili. – Ja też kiedyś pisałam wiersze – oświadczyła ciocia Wiesia.

– Tak? – osłupiała Celestyna.

– Podobno całkiem niezłe – wyznała ciocia, to wcielenie, zdawałoby się, przeciętności. – Dostałam nawet nagrodę w Konkursie Białego Goździka.

– Wiesia zawsze była przeraźliwie poetyczna – zachichotał Żaczek do swoich wspomnień.

– O czym był ten wiersz? – spytała ciekawie Cesia.

Tu głos zabrała Danka. Uśmiechnęła się z wyższością i powiedziała:

– Jakaś ty, Cesiu, naiwna. Jak można w ogóle odpowiedzieć na pytanie „o czym jest ten wiersz?"

– Ja mogę odpowiedzieć – powiedziała ciocia Wiesia. – Być może dlatego, że mam już trzydzieści pięć lat. Otóż, wiersz ten był oczywiście o miłości oraz, naturalnie, o niezrozumieniu.

– Czego przez kogo? – spytał Żaczek.

– Kogo przez co – mruknęła Wiesia. – Mnie przez świat, rzecz jasna. Poproszę jeszcze tego placka.

– To ja też – ożywił się Żaczek. – Placuszek, że palce lizać.

– Dlaczego wy wciąż jecie? – z rozpaczą krzyknęła Cesia.

– Tak już zostaliśmy skonstruowani – powiedział uprzejmie Żaczek. – Podobnie zresztą jak większość tu obecnych. Nawet ty i twoja przyjaciółka, choć istoty wyższego rzędu, musicie wszakże od czasu do czasu zasilać swój system trawienno-wydalniczy. Ty, moje dziecko, jako przyszły lekarz, powinnaś orientować się w tym zagadnieniu. Nawet Słowacki miał zwyczaj jadać.

– Podobno niezły był z niego łakomczuszek – filuternie powiedziała ciocia Wiesia.

– He, he – zarechotał Żaczek. – Co do mnie, to kiedy jem taki placek jak ten, czuję wyraźną sublimację uczuć.

Cesia już nie wytrzymywała.

– Danusiu – powiedziała z wyrazem twarzy błagalnoprzepraszającym. – Może my już chodźmy na wieżę?
– No, dobrze – westchnęła Danka. – Trzeba się wreszcie zabrać do nauki.
– Święte słowa pani dobrodziejki – powiedział Żaczek tonem uszczypliwym. – Nauka to potęgi klucz. O poezji pogadamy za pięć lat.
Przyjaciółki wyszły na korytarz.
– Nie wiem, co ich dziś ugryzło – powiedziała niepewnie Cesia.
– Ojciec jest nieznośny.
– E, dlaczego? – Danka uśmiechnęła się pobłażliwie. – Taki poczciwina...
Zza drzwi pokoju dziewcząt, który obecnie był przystanią Julii i Krystyny, dobiegały głosy plastyków. Cesia zazwyczaj uciekała w najdalszy kąt, kiedy zjawiali się w domu, dziś jednak zmuszona była zapukać do drzwi pokoju – zostawiła w nim bowiem teczkę z zeszytami i książkami. Gdyby nie Danka, Celestyna zapewne nie odrobiłaby lekcji – wolała bowiem wszystko inne niż wejście do pokoju pełnego ludzi. Ale przecież Danka stała obok i na jej twarzy widniał wyraz błogiego rozleniwienia. Cesia odnalazła w sobie całą siłę woli, przybrała światowy wyraz twarzy i zapukała.
W pokoju było pełno dymu. Na wszystkich meblach i na podłodze rozkładali się artyści, wśród których królowała Julia w purpurowym szlafroku z czarną literą „Z" na plecach. Cesia wbiła wzrok w czubki swoich pantofli i przesunęła się za plecami kolorowych dziewcząt ku stołowi, gdzie widać było jej teczkę.
Złapała uchwyt teczki tak kurczowo, jakby to było koło ratunkowe. Wypuściła powietrze z płuc i dyskretnie skierowała się ku drzwiom, przez cały czas prześladowana męczącym uczuciem, że ktoś się jej przygląda.
U progu odważyła się wreszcie podnieść wzrok i w tej samej chwili zachłysnęła się dymem. Kaszląc i łzawiąc myślała w kółko to samo: „Brodacz, brodacz, brodacz..."
Siedział na podłodze koło tapczanu i wpatrywał się w Cesię.
– Ty, Julia – spytał wreszcie trącając kolano starszej Żakówny.
– Zobacz no, kto to jest?
– To? To moja siostra – odparła nieuważnie Julia wsłuchana w opowieść Toleczka.

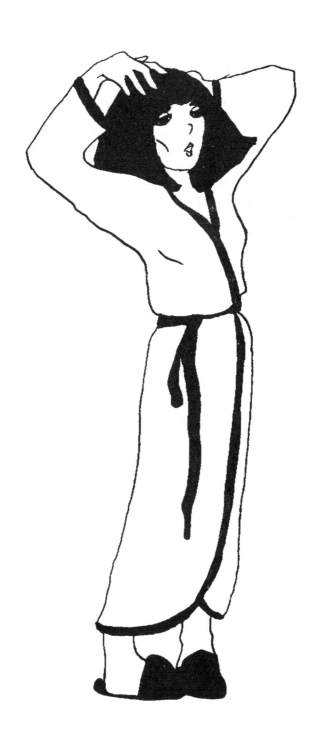

Brodacz wstał i przeskakując ciała kolegów dotarł do Cesi.

– Coś podobnego. Ale spotkanie! – powiedział i wyszedł za spłoszoną Cesią na korytarz. – To co? – spytał. – Idziemy do kina? A więc był to po prostu kolega Julii! Cesia doznała pewnego rozczarowania. Przez cały czas była podświadomie przekonana, że brodacz jest kimś w rodzaju półboga, może aktorem filmowym lub narciarzem klasy europejskiej. Okoliczność, że cudowny brunet okazał się zaledwie studentem PWSSP sprawiła, że sporo z jego płomiennego czaru ulotniło się bezpowrotnie.

– Dzień dobry – powiedziała z naciskiem Danka, urażona tym, że brodacz do tej pory jej nie zauważył. Stała oparta wdzięcznie o wieszak na ubrania. Cesia uznała z pewną obawą, że przyjaciółka wygląda wprost niesłychanie uroczo i kusząco.

Brodacz obrzucił Dankę nieuważnym spojrzeniem.

– Moje uszanowanie – rzekł i zwrócił się zaraz do Cesi. – To kino jest nam sądzone.

Cesia była osobą nieśmiałą i skromną. Ale była również osobą płci żeńskiej, w dodatku szesnastoletnią. Te dwa czynniki zdecydowały o jej odpowiedzi.

– Jeżeli panu tak zależy... – powiedziała, czując się rozkosznie w nowej roli i zerkając kątem oka na Dankę. – Owszem, możemy pójść do kina. Ale na jakiś naprawdę dobry film.

– Dzisiaj! – niecierpliwił się brodacz.

– Dzisiaj się uczymy – odparła stanowczo Celestyna.

– No, to jutro!

– Jeśli panu tak zależy... – delektowała się Cesia. – Moglibyśmy pójść jutro na dwudziestą. Po południu znów będę się uczyć.

– Możemy jutro zrezygnować z nauki – zaproponowała Danka nieco kąśliwie. – Taka okazja...

– O nie! – sprzeciwiła się Cesia. – Przed nami fizyka. No i polski. Dmuchawiec pokaże, co potrafi.

Danka tylko spojrzała na jej wysunięty stanowczo podbródek i już wiedziała, że spory nie mają sensu. Westchnęła i potulnie otworzyła drzwi, prowadzące na wieżyczkę.

Wieczorem następnego dnia Cesia znalazła się przed kinem „Bałtyk" ubrana w płaszcz Julii i jej czapeczkę, ozdobiona starannym makijażem i pachnąca delikatnie perfumami „Antilope". Czuła się piękna, pociągająca i uwodzicielska. Miała wrażenie, że gdyby tylko zechciała skinąć palcem, cały świat upadłby do jej stóp.

Nadszedł brodacz wspaniale odziany, wymachując z daleka biletami. Cesia podeszła do niego uśmiechając się jak Gioconda. Doprawdy, jakiż on był zabawny! Stanął jak wryty na jej widok i mrugając oczami usiłował zrozumieć, kim ona jest i dlaczego tak się zmieniła.

– To ty? – upewnił się, co sprawiło Celestynie niekłamaną przyjemność.

– Ja – odparła trzepocząc rzęsami.

– To wtedy, z tymi rybami, co ciekły...

– To też byłam ja.

– Ale w parku pod pomnikiem...

Cesia wzięła go pod rękę, pełna zachwytu dla swej swobody bycia.

– Sprawa jest bardzo prosta – wyjaśniła. – Podlegam metamorfozom w zależności od tego, czy siostra pożyczy mi płaszcz, czy nie. Dziś pożyczyła.

Spojrzał na nią z niedowierzaniem i parsknął krótkim śmieszkiem.

– Nie, no wiesz... ty to jesteś naprawdę... Naprawdę podobasz mi się, wiesz?

– Uhm – powiedziała Cesia głosem gołębim. Brodacz był – no, może nie cudowny i nieziemski, jak sądziła przedtem, ale na pewno niezwykle sympatyczny i pociągający. Poza tym był taki piękny, taki kolorowy i w ogóle artystyczny, że przyciągał wszystkie damskie spojrzenia w promieniu dziesięciu metrów. Celestynę poważnie zastanawiało, że w towarzystwie brodacza czuła się lekko, swobodnie i pewnie. Żadnego zająkiwania się, rumieńców, patrzenia w ziemię. Przeciwnie, Cielęcina ze zdumieniem stwierdziła, że jest elokwentna i dowcipna, wręcz błyskotliwa. Rozmowa toczyła się leciutko i wdzięcznie, wśród wybuchów śmiechu i przekomarzań.

Brodacz wziął ją pod rękę, przycisnął i lekko pociągnął za sobą. Było bardzo przyjemnie tak iść i czuć się małą, bezbronną, poetyczną istotą, która wymaga opieki i tkliwości i która nie potrafi przebyć pięciu metrów trotuaru nie podtrzymywana przez silne męskie ramię.

Cesia właśnie napawała się tym nie znanym dotąd uczuciem, gdy nagle ujrzała Hajduka. Stał w jasno oświetlonym hallu kina, opierając się o ścianę. Był zgarbiony, twarz miał bladą i zmizerowaną, podkrążone oczy. Ręce wbił w kieszenie i nieruchomym spojrzeniem świdrował podłogę.

– Koniecznie musisz mi mówić po imieniu – gadał brodacz wiodąc Cesię przez tłumny hall. Zbliżali się do Hajduka i Cesia najzupełniej nieświadomie uwolniła rękę z uścisku brodacza.

– Cześć – zawołała. – Czemuś nie był dziś w budzie? – i pomachała mu ręką.

Otrzymała w zamian spojrzenie, po którym wydało się jej nagle, iż z hallu kina znikł cały tłum. Zapanowała zupełna cisza, wszystko zatrzymało się w pół ruchu i w ogromnej pustce Cesia stała naprzeciw Hajduka, czując, że czemuś jest winna, że zrobiła coś strasznego, nie do wybaczenia. Hajduk miał pełne pogardy oczy purytanina, patrzył na Cesię nieruchomo, z niechęcią i gorzkim rozbawieniem. Kiedy przeniósł wzrok na brodacza, spojrzenie zrobiło mu się szydercze. Potem opuścił oczy i stał bez ruchu patrząc znów w podłogę.

– Bo ja mam na imię Zygmunt – powiedział brodacz i pociągnął Cesię dalej. Poszła za nim z pustką w głowie. Co ten Hajduk?! Co się stało? Czym zawiniła?!...

Zresztą, co tam. Nie będzie się nim przejmowała. Ani myśli. Gbur. A ona, głupia, jeszcze mu pomachała. Ciekawe po co. No, co za gbur obrzydły. Dobra, w porządku. Od dziś ona też go przestanie dostrzegać. I o co w końcu chodzi?

Brodacz Zygmunt, który nie zauważył nic zupełnie, objął ją za ramiona i wesolutko cmoknął w policzek. Wspaniale. Niech Hajduk widzi. Cesia zadarła głowę i w objęciach brodacza wkroczyła do sali kinowej.

8

– Całowałam się – powiedziała Cesia i przymknęła oczy w zachwycie.

– Nie żartuj! – krzyknęła cicho Danka. – Z tym plastykiem?

– Ach, no tak, oczywiście!

– W kinie? – dopytywała się Danka zapominając o trzymanej w ręce bułce z twarogiem.

– Nie, po kinie – odpowiedziała Cesia, wciąż mając przymknięte oczy.

Stały obie pod palmą, w końcu korytarza. Duża przerwa właśnie się zaczęła i ze wszystkich drzwi wylewały się na korytarz strumienie wrzeszczących, spragnionych i zgłodniałych młodych ludzi. Wszyscy albo już coś przeżuwali, albo rozpakowywali śniadania.

W okolicy gazetki ściennej dwaj chłopcy prowadzili poważną rozmowę o trenerze Górskim i upadku kadry. Nieco dalej zatrzymali się trzej maturzyści i wrzeszczeli coś na temat Kierkegaarda. Celestyna otworzyła oczy i pomyślała, że mężczyźni są doprawdy śmieszni. Tyle hałasu o jakiegoś piłkarza czy filozofa, gdy tymczasem świat ich uczuć leży odłogiem.

– Myślę, że on się we mnie zakochał – powiedziała bardzo chcąc, by tak było naprawdę.

– A ty? No, powiedz, co czułaś, jak cię pocałował? – spytała Danka poprzez twaróg.

– Wiesz... – Cesia zastanowiła się, po czym odparła szczerze: – To całowanie jest chyba trochę przereklamowane... Mam na myśli, rozumiesz, te wszystkie filmy i tak dalej. Prawdę mówiąc, okropnie chciało mi się śmiać, ale może to tylko wina tej mojej głupoty...

– Chciało ci się śmiać? – Danka była prawie zgorszona. – Ty chyba jesteś cofnięta w rozwoju.

– Kiedy... kiedy on pachniał „Yardleyem" i ja sobie wyobraziłam, jak on stoi przed lustrem i perfumuje te swoje wąsiki... – pisnęła Cesia i rozchichotała się na dobre.

Danka spojrzała na nią z politowaniem.

– Puknijże ty się w czółko, sieroto. A czym miał pachnieć, cebulą? Nie, no ty masz naprawdę skrzywione patrzenie.

– Ależ nie, ależ nie, naprawdę było bardzo fajnie – pospieszyła z zapewnieniem Cesia, która poniewczasie zrozumiała, że w tego typu zwierzeniach szczerość nie popłaca. – Oczywiście żartowałam, on jest cudowny, rzecz jasna.

– A, no widzisz – uspokoiła się Danka.

– A jak tam Pawełek? – spytała Cesia w rewanżu, odpakowując swoje śniadanie. Była znów diabelnie głodna.

– Pawełek? – powtórzyła Danka i wyrzuciła do kosza papier śniadaniowy. – Pawełek i ja znów się gniewamy.

– Zdaje się, że to u was chroniczne. O co tym razem?

– O tego Hajduka – odparła Danka beztrosko. – Paweł poszedł do niego do domu zapytać, czemu nie przychodzi do budy. Hajduk mu powiedział, że ma się wypchać, i że nie wróci już nigdy. Prawie Pawełka wyrzucił za drzwi. A Paweł jeszcze go broni. Więc się pogniewałam, bo w dodatku Pawełek powiedział, że jestem głupia gęś.

Przenikliwy terkot dzwonka wdarł się w hałas na korytarzu. Cesia zawinęła w papier swoje nietknięte śniadanie. Trzeba było wracać do klasy. Zresztą i tak zupełnie jakoś straciła apetyt.

9

W domu nie było nikogo. Zimne, puste pokoje; cisza podkreślana tykaniem budzika; porzucone na podłodze dużego pokoju samochodziki Bobcia i pajacyk z urywanymi nogami – wszystko to sprawiło, że Celestyna jeszcze bardziej poddała się złemu nastrojowi. Szczerze mówiąc, nie był to „zły nastrój". Cesia miała chandrę wprost grobową. Powód był jej nie znany.

Patrząc w lustro przy okazji mycia rąk Cielęcina stwierdziła, że wygląda ohydnie: nos jak trąba, zapuchnięte oczy, włosy matowe, całość przygarbiona i ociężała. Na twarzy wyraz tępego smutku podszytego czarną melancholią.

Okropny jest ten świat.

Atmosfera zatruta, w wodzie fenol i inne świństwa, otoczka ozonowa wokół Ziemi podziurawiona jak sitko, jeszcze trochę i promieniowanie kosmiczne zniszczy wszelkie życie na planecie. Ani dnia bez wojny, wciąż na świecie ktoś kogoś morduje. Deszcze są kwaśne i radioaktywne, we wszystkich jarzynach pestycydy, małe dzieci mają w kościach stront 90, ilość zachorowań na białaczkę wzrasta z każdym rokiem. Poza tym ludzie są fałszywi i niepojęcie obłudni i dlaczego nie można się z nikim dogadać?

Koszmarne. Koszmarne.

Ponuro wkroczyła do kuchni. Może jak coś zje, humor się jej poprawi. Postawiła na gazie garnek z fasolką po bretońsku i przy okazji

zrzuciła łokciem butelkę z mlekiem. Gdy wycierała linoleum, fasolka się przypaliła. Okropny swąd rozniósł się po całym domu. Celestyna usiadła na kuchennym stołku i wybuchnęła płaczem. Oczywiście właśnie w tym momencie musiał przyjść ojciec. Otworzył drzwi własnym kluczem i kierowany zapachem spalenizny zjawił się w kuchni.

– Co się stało? – przeraził się na widok szlochającej córki.

– Nic, nic, mam chandrę – wyjaśniła Cesia, łkając rozpaczliwie.

– Ojejej – westchnął ojciec ze współczuciem. – To nie zazdroszczę – wziął z talerza plasterek ogórka i zjadł go ze smakiem, chrupiąc, chrzęszcząc i mlaskając.

– Nie chrup! – krzyknęła córka przez łzy.

– Dlaczego?!

– Bo mnie to potwornie denerwuje!

– Oj, biedactwo. Słuchaj, a właściwie z jakiego powodu masz chandrę?

Cesia mu powiedziała – z grubsza. Wygarnęła mu wszystko, chociaż co on, biedak, winien był temu, że otoczka ozonowa jest podziurawiona?

– To nieprzyjemne – przytaknął. – Popatrz tylko, nawet nie wiedziałem, że podziurawiona.

– Wszyscy jesteście ślepi i krótkowzroczni! A świat chyli się ku upadkowi!

– Nie możemy być jednocześnie ślepi i krótkowzroczni – uściślił inżynier Żak.

– Jesteście! – szalała Cesia. – Zimni egoiści! Nic was nie obchodzi, że obok męczy się człowiek.

– Jaki człowiek – spytał natychmiast ojciec.

– Mówię ogólnie! – krzyknęła Cesia cienkim głosem. – Człowiek, samotna istota, nic was wszystkich nie obchodzi! Samotność i brak uczucia to są choroby dwudziestego wieku!

– Aha... – powiedział ojciec ze zrozumieniem – brak uczucia. To już chyba zaczynam nareszcie coś kapować...

– Nic nie kapujesz!!!

– Znowu ryczy – stwierdził Żaczek, ocierając twarz Cesi ściereczką kuchenną. – Nic, tylko przestrojenie hormonalne, innego racjonalnego powodu nie dostrzegam. Wiesz, córko, ja cię pocieszę.

– Wcale nie chcę.

– A, to co innego. Jeżeli znajdujesz przyjemność w tym mazgajeniu się, to rzeczywiście, pocieszanie byłoby grubym nietaktem.

– No, czym ty mnie możesz pocieszyć, czym?

– Mógłbym ci, na przykład, powiedzieć, że światu nic złego się nie stanie. Człowiek jako taki wcale nie jest bezmyślny. Ja wierzę w człowieka.

– To sobie wierz – odparła Cesia i zatrąbiła w chusteczkę – mnie to nie pocieszy.

– Ale ryczeć już przestałaś. Słuchaj, skąd ty masz te katastroficzne wieści?

– Z prasy – warknęła Cesia.

– Co oznacza, że jeszcze kilka osób oprócz ciebie wie o tych okropnościach?

– No, pewno.

– No, to się nie martw. Ludzie na ogół obdarzeni są instynktem społecznym i samozachowawczym. Poza tym ludzkość nie składa się wyłącznie ze zbrodniarzy, tępaków i chamów. Sam znam osobiście kilku osobników szlachetnych i rozumnych. Problem w tym, żeby ich było coraz więcej. I żeby jednoczyli wysiłki.

– Ładnie to ująłeś – przyznała Cesia.

– Za dziesięć lat możesz do nich dołączyć. Mogłabyś na przykład być w ONZ ekspertem od białaczki.

– Nie żartuj sobie.

– A co? Masz wszelkie szanse.

– Nie, ale poważnie, naprawdę myślisz, że mogłabym mieć jakiś wpływ na to wszystko?

– Wszyscy możemy mieć jakiś wpływ na to wszystko – odparł Żaczek z dziwną powagą. – Z drobin powstaje całość, siły się sumują, jedno ziarnko prochu nic nie znaczy, wiele ziarenek prochu to materiał wybuchowy. Ty się tym nigdy nie interesowałaś, ale i ja na swój skromny sposób mam jakiś wpływ na losy świata, chociaż projektuję zaledwie silniki okrętowe. I nie ma tu nic do rzeczy fakt, że chciałem w życiu robić coś zupełnie innego. To, co robię teraz, jest bardzo potrzebne i uważam, że powinnaś być ze mnie dumna.

– Jesteś mój kochany zuszek – powiedziała Cesia, finalnie wycierając nos. – Dobrze, że ty mi się akurat trafiłeś na ojca.

– Dobrze, że ty mi się trafiłaś na córkę. Udałaś mi się nad podziw.
– E, tam – zwątpiła Cesia.
– Udałaś mi się, powiadam. Jak chandra?
Cielęcina wsłuchała się w siebie.
– Ciut jakby przechodzi.
– Ładnie dziś wyglądasz. Życia nic nie zmoże, jak pisze Jeremi Przybora. Masz taki interesujący błysk w oczach.
– Co też ty mówisz? – ucieszyła się Cesia.
– Li i jedynie – powiedział Żaczek. – Słuchaj, a skąd tu tyle dymu?
– Fa-fasolka! – wrzasnęła Cesia, zrywając się na równe nogi.
– Zapomniałam zamknąć gaz!
– To zamknij – polecił jej ojciec, spiesznie wychodząc z kuchni.
– Wywietrz i przygotuj obiad lub coś w tym rodzaju. Zdaje się, że umiejętność przypalania każdej potrawy jest w tym domu dziedziczna.

10

Lodówka ziała pustką. Cesia, z wysiłkiem opanowując uczucie paniki, przeszukała całą kuchnię i znalazła jajka oraz marchewkę. To już było coś.

Stanęła w otwartym oknie i wpatrzyła się bezmyślnie w budynek po przeciwległej stronie ulicy.

Coś ją uporczywie dręczyło. Cielęcina zamknęła oczy i poddała się autoanalizie.

Hajduk. No, tak.

Dlaczego on nie chce wrócić do szkoły?

Miała niejasne wrażenie, że ma to jakiś związek z jej tchórzowskim wystąpieniem na lekcji. Tak, to stąd to poczucie winy i udręki. Postąpiła obrzydliwie. Czy to możliwe, że jego to aż tak dotknęło?

No, oczywiście, oczywiście. Przecież miał bezwzględnie rację. I potrzebne mu było wsparcie. Pawełek się odważył. A ona...

 Och, co za udręka. Dlaczego ona zawsze musi palnąć jakieś głupstwo i dlaczego, jak już palnie, nie może o tym zapomnieć, tylko cierpi męki wstydu? Wciągnęła ze świstem powietrze. Ach, idiotka, idiotka, idiotka.

– Idiotka – powiedziała głośno i jęknęła.
– Kto idiotka? – spytał ojciec z łazienki.

– Maria Callas – odparła Celestyna ze złością. Że też człowiek nigdy nie może być sam w tym domu!

Trzasnęły drzwi łazienki. W progu stanął różowy i odświeżony ojciec.

– Co takiego? – spytał. – A dlaczego płaczesz, kiedy myślisz o Marii Callas?

– Bo chcę zostać śpiewaczką operową – odpowiedziała Cielęcina z rozpaczą. – I trawi mnie zawodowa zawiść.

– He, he – posępnie rzekł ojciec, który nie wiedział, co o tym wszystkim sądzić. – A jednak chyba przestrojenie hormonalne. Obiad będzie czy mam sam ugotować?

– Będzie.

– A co na przykład?

– Jajka sadzone i marchewka – odparła Cesia w zadumie. – Muszę się spieszyć... – urwała nagle, stanęła jak słup i z wyrazem olśnienia wpatrzyła się w kapcie ojca. Pojęła bez powodu i w okamgnieniu, że jej obowiązkiem – tak, obowiązkiem koleżeńskim – jest złożyć wizytę Hajdukowi. Trzeba zadzwonić do Pawełka i spytać o adres. Ktoś w końcu musi się zainteresować tą sprawą i z pewnością ona powinna być tym kimś.

Ojciec poruszył się niespokojnie.

– Dobrze już, dobrze. Kupię sobie nowe kapcie – przyrzekł ze skruchą. – No, słowo daję, zaraz pójdę i kupię. Tylko zdejmij ze mnie to spojrzenie ołowiane. Li i jedynie.

11

Po upływie półgodziny marchewka gotowała się na małym ogniu, obrane ziemniaki czekały swojej kolejki, a Celestyna doprowadzała wnętrze kuchni do porządku. Z całą pewnością nie było to zajęcie, które by korespondowało z jej aktualnym stanem ducha. Pracę tę wykonać miała Julia, i to wczoraj wieczorem, ale od podobnych czynności migała się tak konsekwentnie, że nie budziło to już nawet niczyjego zdziwienia. Celestyna przypasała fartuch, westchnęła z odrazą i odkręciła kran z gorącą wodą. Zakrzepły tłuszcz, kawałki makaronu i strzępki kapusty. Ohyda. Kiedy odszorowała pierwszy talerz, do kuchni weszła Julia zjawiskowo piękna w swojej nowej sukni uszytej z dwóch wielkich tureckich chust.

Jej wspaniałe czarne włosy lśniły zwodniczym blaskiem, oczy migotały spod ogromnych rzęs, a kiedy usiadła na kuchennym stołku, by polakierować sobie paznokcie, wionął za nią delikatny zapach perfum „Masumi". Założyła nogę na nogę i nie zdawała sobie nawet sprawy z niezwykle pięknej linii swoich łydek oraz tego, że młodsza siostra przygląda się jej z zawiścią znad zlewu pełnego brudnych naczyń.

– Co robisz? – spytała nie patrząc w stronę Cesi. – Zmywasz?

– Nie – odparła nagle Cesia i zakręciła kran. – Nie, nie zmywam.

– Zwiariowałaś? I co, będą tak stały te gary? – zatroszczyła się Julia.

– Nie będą. Bo ty je umyjesz.

– Ja?

– Ty! – wrzasnęła Celestyna.

– Nie mogę – rzekła Julia pobłażliwie. – Właśnie pomalowałam paznokcie.

– Ja też! – krzyknęła Celestyna. Wyrwała jej buteleczkę z lakierem i zgrzytając zębami, przejechała sobie pędzelkiem po wszystkich palcach pod rząd.

– Co się z tobą dzieje? – Julia nie posiadała się ze zdumienia.

– Nic! Tylko mam dosyć! Wykorzystujesz mnie! Wszyscy mnie wykorzystują! Nikt mnie nie kocha!

Zwabieni krzykami nadciągnęli domownicy.

– Co ona mówi?

– Mówię, że od dziś nie będę myła garów! Kolej na Julię!

– Racja – poparł Cesię ojciec.

– Też tak uważam – mruknął dziadek, dłubiąc w cygarniczce. – Julia powinna nabierać wprawy, panie tego. A Cesia przecież musi się dużo uczyć, podczas gdy na Julii studiach...

– Podczas gdy na moich studiach, co? – spytała Julia uprzejmie.

– Zbija się bąki – wyjaśnił dziadek. – A Cesia już w tej chwili musi zacząć myśleć o maturze i egzaminie wstępnym.

– Julia wszystko tłucze – zauważyła mama.

– No, to co – rzekł dziadek. – To kamuflaż.

– No, wiesz! – oburzyła się Julia.

– Nie bójmy się spojrzeć prawdzie w oczy – wygłosił odważnie ojciec. – W tym domu istnieje uciskana mniejszość. Mam na myśli Cielęcinę i Wiesię.

– A pewna artystka obija się – syknęła Celestyna.

– Ja tej Cielęcinki nie poznaję – w zadumie zauważyła mama.

– Zrobiła się wymowna – przyznał Żaczek. – Niemniej ma rację. Wykorzystujemy ją.

– Tak jest – powiedziała Cesia z mocą. – I w dodatku nie mam co na siebie włożyć.

Wytrzeszczyli na nią oczy.

– Co się dzieje? – zdumiał się dziadek. – Cielęcino, panie tego, przecież zawsze uważałaś, że w kobiecie ważne jest wnętrze...

– Zmieniłam zdanie. Suknia też zdobi człowieka z wnętrzem.

– Przecież masz mnóstwo sukien – powiedziała zaskoczona mama.

– Wszystkie po Julii! W biuście za szerokie! – łzawo zawołała Cesia. Nikt nie był w stanie zaprzeczyć. – A mnie nie do twarzy w kolorach brunetki! Każdy od razu pozna, że kiecki po starszej siostrze, i nie wiem, co sobie pomyśli! Na pewno nie pomyśli, że jestem kobieca i elegancka!

– Kto nie pomyśli? – Żaczek stracił wątek.

– No... każdy! Każdy nie pomyśli!... to jest – pomyśli, a raczej... – Celestyna zalała się purpurą. Łzy stanęły jej w oczach i zaczęły się wymykać na policzki. – Boże, jaka ja jestem nieszczęśliwa! – wybuchnęła nagle. – Nikt mnie nie rozumie, nikt mnie nie kocha!

Rodzina była poruszona. Spojrzeli po sobie.

– Ależ Cesiu... – przemówił dziadek w imieniu ogółu. – Kochamy cię bardzo, panie tego, wierz mi...

Cesia nie zwróciła na to wyznanie najmniejszej uwagi, tylko eksplodowała szlochem i kryjąc twarz w dłoniach, stuknęła czołem o kuchenny stół.

– Źle jest – powiedziała Julia. – Odstawiła lakier i wyszła.

Wróciła po chwili razem z Krystyną, która w wyciągniętych rękach niosła swoją prześliczną, białą bluzeczkę. Bluzeczka była bufiasta, falbaniasta i haftowana w mnóstwo figlarnych ząbków. Krystyna spędziła nad tym arcydziełem dwa pracowite miesiące, długie godziny haftowania umilając sobie marzeniami o dniach, kiedy będzie znów szczupła i elegancka.

– Pożyczymy ci to cudo – oznajmiła Julia, a Krystyna wręczyła Cesi bluzkę, radośnie kiwając rudą głową.

– Ależ... ja nie mogę... – jęknęła Cesia bez przekonania.

– Włóż to, włóż – powiedziała Krystyna. – Do tego tę spódnicę w różyczki.

– Na pewno się spodobasz – stwierdziła Julia.

– Komu? – spytał ojciec trochę zbyt głośno.

– No... każdemu. Co, nie, Ceśka?

Cesia już nie płakała. Przyjęła bluzeczkę, spojrzała rozjaśnionym wzrokiem i znikła, żeby się przebrać.

– Naprawdę – powiedziała Julia półgłosem. – Ona ma rację. Powinniście zacząć ją stroić.

– Co też ty mówisz! – żachnął się ojciec. – Cesia to jeszcze dziecko.

– Dziecko też trzeba ubierać. W dodatku Cesia właśnie wyrosła z dzieciństwa – powiedziała mama. – Uważam, że trzeba by, Żaczku, przyjrzeć się budżecikowi i wysupłać jakąś sumkę.

Ojciec zasępił się, ponieważ bardzo nie lubił mówić o pieniądzach. Nie miał ich z zasady w ilości wystarczającej na pokrycie wszystkich szalonych potrzeb swoich domowników.

– Znowu wysupłać, hę?

Statek maminej inicjatywy wpływał na niepewne wody.

– Niedługo mi zapłacą za „Łabędzicę I" – podsunęła nieśmiało. – Można by kupić Cesi kożuszek i ładne botki. I sukienkę.

– Ile ci zapłacą? – spytał ojciec twardo.

– A, nie wiem.

– Dlaczego nie wiesz?

– No, nie wiem, dlaczego nie wiem.

– Nie wiesz, a już kupujesz kożuszek.

– Wiesz co, Żaczku, czasem mam wrażenie, że jesteś skąpy.

– A ja mam wrażenie, że jesteś nieopanowanie rozrzutna.

– Nie kłóćcie się o pieniądze! – powiedziała Julia. – Kłótnie o pieniądze zabijają prawdziwą miłość.

Rodzice spojrzeli na siebie i nagle wybuchnęli śmiechem.

– Żaczuniu – powiedziała mama padając w mężowskie ramiona.

– Uważam, że należy położyć kres temu sporowi.

– Słusznie. Jeszcze by nam zabiło.

– Więc umówmy się po prostu, że...

– Że pójdziemy na ugodę. Nie kupimy Cesi kożuszka, tylko suknię.

– I botki.

– I botki.

Skrzypnęły drzwi łazienki i ukazała się Celestyna.

Rodzice umilkli i wpatrzyli się w swoją młodszą córkę. Cesia wyglądała uroczo. Jej twarz oblewał wyraz determinacji i powagi, oczy były zagadkowo zamglone. Spojrzała niewidzącym wzrokiem na swoją rodzinę i bez słowa, krokiem somnambuliczki, skierowała się do wyjścia.

– Dokąd idziesz? – spytała mama, czując dziwny ucisk w sercu, coś pośredniego między litością a niepokojem.

Cesia drgnęła.

– Do kole... – powiedziała. – Do koleżanki. Wrócę niedługo.

12

Właściwie – dlaczego skłamała? Przecież i tak wszyscy się domyślili, że nie stroiłaby się tak dla koleżanki.

Klnąc w duchu swoją bezdenną głupotę, Cesia wybiegła z bramy i szybkim krokiem ruszyła w stronę ulicy Sienkiewicza. Pawełek nie pamiętał numeru domu, w którym mieszkał Hajduk. Cesia dowiedziała się tylko, że nad sklepem spożywczym.

No więc na Sienkiewicza. Byle śmiało.

Było chłodno i słonecznie. Silny wiatr przenikał bez trudu przez cienki płaszcz Julii i bluzeczkę Krystyny. Wiał prosto w twarz i Cesia poczuła, jak z kącików jej oczu spływają łzy. Sama nawet nie była pewna, czy to od wiatru, czy z powodu chandry.

Przeszła przez jezdnię, mimochodem unikając śmierci pod kołami rozpędzonej ciężarówki. Nawet tego nie zauważyła, pochłonięta myślami.

Skłamała rodzicom, bo bała się, że ją wyśmieją. Dlaczego się bała? Kpili z niej już tyle razy, że powinna się uodpornić. W końcu żarty były życzliwe i nie szkodziły nikomu.

Tak, ale tym razem jakoś nie miała ochoty, żeby żartowali z Hajduka. Z brodacza – proszę bardzo. Ilekroć Zygmunt przyszedł, ojciec Cesi nie żałował mu przytyków i kpin, które brodacz zresztą znosił bez mrugnięcia okiem. Ale Hajduk?

Hajduk nie pasował do nich wszystkich.

Jęknęła, przypomniawszy sobie jego złe spojrzenie. Stanęła w miejscu i odwaga opuściła ją zupełnie.

– Cześć! – wrzasnął brodacz z przeciwnej strony ulicy i ruszył przez jezdnię do Celestyny. Był wystrojony bardzo starannie, spod baranicy wystawał mu kołnierz wspaniałej koszuli w krateczkę i węzeł modnego włóczkowego krawata. Najwyraźniej bardzo dumny ze swego wyglądu brodacz zatrzymał się przed Cesią, szczerząc zęby.

– Właśnie szedłem po ciebie. Mam bilety na „Rzym" Felliniego, na czwartą. Od lat osiemnastu wprawdzie jest film, ale wyglądasz dziś tak jakoś... że na pewno cię wpuszczą.

Cesia ledwie zarejestrowała w pamięci komplement. Propozycja była jej nie w smak.

– Chyba nie zdążę. Muszę jeszcze wstąpić do ko... koleżanki.

– Pójdę z tobą.

– O, nie! – krzyknęła.

– No, to poczekam przed domem, jak się mnie wstydzisz – rzekł brodacz z urazą. – Gdzie mieszka ta koleżanka? – Objął Cesię w pasie i pociągnął za sobą.

– Na Sienkiewicza – niechętnie odparła Cesia i odczepiła od swojej talii rękę brodacza. – Wiesz, ja jakoś nie mam ochoty na kino.

– Nie wygłupiaj się! – oburszył się brodacz. – Przecież szkoda biletów!

Cesia z westchnieniem pomyślała, że płomienni bruneci niekoniecznie potrzebni są w każdej minucie życia. Dochodzili do bloku na ulicy Sienkiewicza, Cesia zostawiła brodacza przed sklepem spożywczym i weszła do najbliższej bramy.

W spisie lokatorów nie było Hajduka, ale Pawełek mówił, że Jerzy mieszka u pani Piórek. Cesia weszła na schody, usiłując opanować łomot serca.

Zatrzymała się przed drzwiami mieszkania numer osiem. A więc to tu. Nie myśląc wcale, co robi, wyjęła lusterko i przyjrzała się sobie z uwagą. No, tak. Bez zmian, niestety.

Na wahaniach i dreptaniu w miejscu strawiła następne trzy minuty, wreszcie zadzwoniła z nagłą decyzją, czując, jak jej żołądek wchodzi w dziwną komitywę z sercem i oba te organy trzepoczą w jednym rytmie. Odgłos powolnych kroków za drzwiami sprawił, że omal nie rzuciła się do ucieczki.

Drzwi otworzono i na progu stanęła staruszka w ciemnym szlafroku. Cesia zmusiła się do mówienia.

– Dzień dobry, czy zastałam Jerzego?

Staruszka obrzuciła Cesię badawczym spojrzeniem.

– Jest u siebie – powiedziała cichym głosikiem. Ani myślała ruszyć się z miejsca. Obejrzała sobie Cesię uważnie i dopiero potem zdecydowała: – Proszę wejść.

W korytarzu na wprost wejścia wisiał obrazek przedstawiający dziewczę z kotkiem. Obrazek był owalny, dziewczę na nim pulchne i promienne. Na lewo od obrazka były wąskie drzwi oszklone matową szybą. Cesia oderwała właśnie wzrok od uśmiechniętego dziewczęcia, kiedy drzwi się uchyliły i w jednej chwili stało się jasne, że obrazek był mylącą zapowiedzią: Hajduk stał na progu ponury, zły, marszcząc brwi i patrząc spode łba.

– Cześć – powiedział sucho. – Proszę, wejdź.

Cesia posłusznie weszła. Serce jej waliło, na twarz buchnęły rumieńce, w uszach pojawił się zagłuszający wszystko szum. Z przerażeniem stwierdziła, że nie potrafi wydobyć z siebie ani słowa. Hajduk powoli zamknął drzwi i odwrócił się. On również się nie odzywał. Przypominało to jakiś senny koszmar. Minuty mijały, oni trwali w milczeniu, które stawało się coraz bardziej nieznośne. Słychać było człapanie pani Piórek i odgłos wody lejącej się do imbryka. Na podwórzu wrzeszczały chłopaki i ktoś z hukiem zatrzasnął kubeł od śmieci. W sąsiednim mieszkaniu radio zachłystywało się arią z „Poławiaczy pereł".

Cesia pomyślała właśnie, że za sekundę albo zemdleje, albo wybuchnie płaczem, kiedy wreszcie Hajduk przemówił:

– Siadaj.

Podsunął jej krzesło. Cesia usiadła, rozglądając się po pokoju, co miało jej pomóc w opanowaniu zdenerwowania. Dłoń Hajduka, znajdująca się za jej plecami na oparciu krzesła, odskoczyła jak oparzona, kiedy jej dotknęło ramię Celestyny.

– Ładnie tu u ciebie – powiedziała Cesia bez przekonania, tocząc wzrokiem po pustym, surowym pokoju. Znajdował się tu tylko tapczan, stół i półka zapełniona książkami. Na ścianie wisiał wycięty z gazety portret uśmiechniętego mężczyzny na tle zagryzmolonej kredą tablicy.

Hajduk milczał nieprzyjaźnie.

– Przyszłam zapytać – wykrztusiła Cesia – czy nie trzeba ci jakoś pomóc... nie przychodzisz wcale do szkoły...

– Nie przychodzę – potwierdził odpychającym głosem. – A pomocy mi nie trzeba. Zawsze radzę sobie sam. Ze wszystkim.

Popatrzyli na siebie przez chwilę i oboje, spłoszeni, jednocześnie odwrócili wzrok.

– Czy ty się... obraziłeś? – szepnęła Cesia. – O to, że wtedy... że ja...

Hajduk roześmiał się z wysiłkiem.

– Dlaczego miałbym się na ciebie obrażać?

– Że nie stanęłam po twojej stronie.

– A dlaczego miałabyś to robić? – spytał Hajduk drewnianym głosem. – Każdy postępuje tak, jak uważa za stosowne. – Nagle jego opanowanie puściło jak zbyt luźno zaszyta dziura na łokciu. – Nie mogę obrażać się na ciebie o to, że jesteś inna, niż myślałem! – powiedział szybko. Zreflektował się w jednej chwili i zmarszczywszy brwi, wbił ręce w kieszenie. – No, a teraz już idź. Ten facet, co czeka tam na dole, zanudzi się na śmierć.

– Tam... nie ma nikogo... – skłamała gorączkowo Cesia. Sama nie wiedziała, dlaczego tak jej zależy, żeby Hajduk uwierzył.

Ale on nie uwierzył.

– Mówię o tym facecie, który tu z tobą przyszedł. Widziałem was przez okno. To ten sam, z którym chodzisz do kina i do parku – uśmiechnął się uprzejmie ściągniętymi wargami. – Nie musisz się przede mną kryć, nikomu nie powiem.

Cesia milczała upokorzona.

– Teraz też pewnie do kina, co? – poinformował się Hajduk wciąż z tym samym nieprzyjemnym uśmiechem. – No, to się spiesz, pewnie na czwartą idziecie... – i kiedy Cesia śmiertlenie dotknięta i urażona wstała, Hajduk dodał: – Ja też zresztą wychodzę. Umówiłem się.

Cesia spojrzała na niego szybko.

– No, idź już wreszcie! – krzyknął zaciskając powieki.

Celestyna wyszła natychmiast, sztywno wyprostowana, dusząc się od powstrzymywanego płaczu. Wypadła przed dom i ruszyła przez jezdnię. Brodacz, o którym zupełnie zapomniała, spojrzał ze zdziwieniem, a następnie widząc, że żartów nie ma, zerwał się i poleciał za nią.

– Stój dziewczyno – powiedział obejmując ją z tyłu za ramiona. – Co się dzieje?

Cesia spojrzała na niego pustym wzrokiem.

– Nic, nic. Idziemy. Idziemy sobie do kina.

– Ale co się dzieje? Obraziła cię ta idiotka? A mówiłem, nie chodź tam.

– Miałeś rację – powiedziała Cesia martwym głosem. – Miałeś rację, miałeś rację, miałeś rację.

– No, co jest? – brodacz potargał Cesi grzywkę. – Nie przejmuj się!

Cesia jakby nagle go dostrzegła.

– Zygmunt – powiedziała ze zdziwieniem. I niespodziewanie wybuchnęła strasznym płaczem, łzy leciały po jej twarzy jak woda z kranu, całymi strumieniami. Otwarte usta z trudem łapały powietrze, w nosie natychmiast zaczęło bulgotać. Przechodząca obok tęga pani z siatkami pełnymi marchwi i ziemniaków przystanęła i z zainteresowaniem przyglądała się scenie. Brodacz zdawał się mieć tego wyżej uszu.

– Ludzie patrzą – mruknął. – Uspokój się.

Cesia płakała rozpaczliwie, trzymając go oburącz za koszulę na piersiach. Usiłowała opanować szlochanie i coś powiedzieć; wreszcie wydarło się z niej:

– Ja... nic... nie... rozumiem! Ja... nic... nie... rozumiem!

Od strony ulicy Zwierzynieckiej nadciągnęła druga dama. Z jej siatki dramatycznie sterczały blade nogi kurczaka w celofanie.

– Co tu się stało? – zwróciła się głośno do tej z marchewką.

– Bo ja wiem, kochana. Tak patrzę, że on ją chyba chce rzucić. Płacze biedaczka i płacze.

Pręgierz opinii społecznej dawał się brodaczowi we znaki. W dodatku nowiutka koszula była już mokra od łez i pognieciona. Niewiele było rzeczy, które mogłyby usprawiedliwić podobnie oburzające traktowanie jego garderoby.

– Chodź już wreszcie! – syknął. – Albo idę sam!

– Jaki to niecierpliwy, oszust jeden! – pani z kurczkiem podeszła bliżej, gotując się do feministycznej akcji.

Brodacz złapał Cesię za rękę i powlókł za sobą, w bezpieczne zacisze bramy. Cesia dała się prowadzić, kryjąc swą rozpacz w chusteczce do nosa.

– Czego nie lubię, to histeryczek i scen na ulicy powiedział gniewnie brodacz w ciemnościach bramy. – Jeżeli się natychmiast nie uspokoisz, idę do kina sam.

– Ja... nic... nie... rozu... – łkała Cesia, wyglądając przy tym tak, jakby za chwilę miała zacząć tłuc głową o ścianę. Wobec tego brodacz, który naprawdę i nade wszystko nie lubił histeryczek i scen na ulicy, chrząknął, poprawił krawat i śmiało wyszedł z bramy.

Zdziwiłby się, gdyby wiedział, że Cesia w ogóle tego nie zauważyła.

13

Po raz pierwszy w życiu Cielęcina spotkała się z problemem, na który skutecznej rady nie potrafił jej dać nikt, a już najmniej rodzina. Oni by po prostu nic nie zrozumieli – była tego tak niezbicie pewna, że nie tylko nie opowiedziała w domu, co jej się przydarzyło po południu, ale wręcz podała fałszywą wersję zdarzenia, które doprowadziło ją do stanu tak bardzo godnego pożałowania. Oświadczyła mianowicie, że była u koleżanki, wracając spadła ze schodów, uderzyła się w kolano i tylko dlatego wróciła cała we łzach, po czym ostatkiem przytomności zdjąwszy z siebie cudowną bluzeczkę Krystyny, padła na kanapę i do wieczora płakała, nie zniżając się do rozmowy z żadnym z członków rodziny.

Oczywiście nikt w tę wersję nie uwierzył. Zostawiono Cesię w spokoju, tylko zza drzwi dochodziły głosy pełne troski i utajonej ciekawości. Cesia popłakała, popłakała, a potem wstała. Poszła do kuchni i w ponurym milczeniu pochłonęła sześć ogórków konserwowych i pół słoika grzybków w occie. Następnie, nieznacznie rozpogodzona, umyła z temperamentem naczynia, wypastowała linoleum w kuchni, zrobiła małą przepierkę i znów poczuła się lepiej.

Za oknem nagle zapadła ciemność, podniósł się silny wiatr. Cesia skończyła pracę, umyła ręce i natarła je kremem. Podglądająca przez szpary w drzwiach łazienki ciocia Wiesia usłyszała, jak przed lustrem Cesia mówi do siebie półgłosem:

– No dobrze. Barrrdzo dobrze. O co ci chodzi, idiotko? Nie odezwiesz się do niego nigdy w życiu. Więcej dumy, więcej dumy. Li i jedynie.

Ciocia Wiesia oddaliła się na palcach i doniosła rodzinie, że Cielęcinka jakoby ożyła.

W istocie, Cesia nie rezygnując z gorzkiego uśmiechu i rozproszonej po całej twarzy łagodnej melancholii człowieka ciężko doświadczonego przez życie upudrowała nos i przy akompaniamencie huraganowych porywów wiatru zasiadła z rodziną do kolacji. Potoki deszczu chlustały w szyby, ściany starego domu dygotały od porywów wichury.

– Znowu nie kupili wędliny, panie tego – utyskiwał dziadek, usiłując zaprowadzić przy stole normalne porządki.

– Cóż chcesz, tatusiu, jutro niedziela – machinalnie powiedziała mama Żakowa, ukradkiem obserwując młodszą córkę.

– Trzeba było mnie poprosić, kupiłbym bez kolejki – wtrącił ojciec. – Umiem oczarować dowolną ekspedientkę. Li i jedynie. – I pomyślał, ze smutkiem spoglądając na Cesię: „Czy ktoś ją skrzywdził? Co się stało dzisiaj po południu?”

– Ze wszystkich łakoci najbardziej lubię boczek – zacytował dziadek swój ulubiony dowcip. Wszyscy przy stole roześmiali się uprzejmie. Za oknem dał się słyszeć świst wichury i grzechot spadających dachówek.

– A co jest pani ulubionym łakociem, panie tego? – dziadek zwrócił się do milczącej Krystyny.

Z brzękiem poleciała na chodnik jakaś szyba.

– Szampan – odpowiedziała Krystyna dziwnym głosem.

– Moja myszka lubi też szampana – oświadczył Bobcio.

Żaczek się zainteresował.

– Skąd wiesz? Dawałeś jej?

– Nie. Mówiła mi wczoraj – odparł Bobcio rzeczowo.

– O – rzekł Żaczek i przyjrzał się siostrzeńcowi nieco uważniej.

– Ja to najbardziej lubię mięso. – Bobcio unosił się na fali zwierzeń.

– Ale nie kurę. Bo mi się znudziła. Jakie to śmieszne, że kura nazywa się tak jak to zwierzątko. Albo ryba. Nazywa się tak samo jak to, co pływa.

– Bo to jest to samo – wyjaśniła brutalnie Julia.

Ciocia Wiesia podskoczyła i rozpaczliwymi gestami usiłowała nakłonić Julię, by nie pozbawiała Bobcia jego dziecinnych złudzeń. Bobcio wszakże był pochłonięty innym zagadnieniem: wpatrywał się w Krystynę, która robiła się na przemian to blada, to czerwona, aż wreszcie z brzękiem upuściła widelec.

– Mamo, co jest tej cioci? – spytał Bobcio.

– Obawiam się, że niestety... – zaczęła matka Cesi głosem panicznym.

– Tak, to już to! – jęknęła płaczliwie Krystyna.

– Ale co? Ale co? – chciał wiedzieć Bobcio.

Inżynier Żak zerwał się na równe nogi.

– Taksówka!!!

– Gdzie taksówka? Gdzie taksówka? – prawie płakał Bobcio, który lubił być dokładnie poinformowany.

– Co za kawały? – zdenerwowała się Julia – przecież jeszcze nie czas!

Ale właśnie był już czas. Nowemu mieszkańcowi planety spieszno było ujrzeć ją na własne oczy. Jak wiadomo, każdej minuty rodzi się na Ziemi dwieście trzydzieścioro pięcioro dzieci. A za każdym razem jest to tak samo cudowne.

W mieszkaniu Żaków zapanowała nagła panika. Stwierdzono bowiem, że telefon nie działa. Szpital imienia Raszei był co prawda niedaleko – zaledwie o dwie przecznice stąd – ale przecież na dworze szalała wichura. Nikt nie miał odwagi proponować Krystynie, by udała się do szpitala pieszo.

– Spokojnie, mamy jeszcze mnóstwo czasu – powtarzała mama Żakowa, ani przez chwilę nie wierząc, że mówi prawdę.

– Mój Boże, co to będzie? – szlochała Krystyna.

– Co ma być, panie tego? – pocieszał ją niezręcznie dziadek, którego przepełniało współczucie. – Wszystko będzie dobrze, kto to widział bać się naturalnego procesu.

– Mamo, jestem głodny – oświadczył Bobcio z miną wyalienowanego.

Cesia zebrała rozproszone myśli. „Chwileczkę, kto tu chce być lekarzem? Żeby być lekarzem, trzeba umiejętności, poświęcenia i zdrowego rozsądku. Pierwszego nie mam. Drugie może mam, ale bez pierwszego się nie liczy. Trzecie posiadam, jak sądzę. Zróbmyż z tego użytek".

– Wychodzę tato – powiedziała.

– Ty dokąd? – przejął się Żaczek. – Jest wpół do dziewiątej.

– Idę do Nowakowskich, przecież oni mają telefon.

– Pójdę z tobą.

Zeszli na dół. Drzwi otworzył mały Nowakowski, ubrany w piżamkę w czerwone kaczki.

– Starzy poszli do kina – oświadczył chrupiąc niegodnie landrynkę. – O co chodzi?

– Czy moglibyśmy skorzystać z telefonu? – spytał uprzejmie Żaczek, który do tej pory nie miał okazji bliżej poznać ośmiolatka Nowakowskiego i nie wiedział, co to za ziółko.

– Nie – rzekł Nowakowski. – Tata powiedział, żebym nikogo nie wpuszczał, bo kręcą się różni zboczeńcy i złodzieje.

– Nie sądzę, żeby miał na myśli sąsiadów, cha, cha – podlizywał się Żaczek.

– Won z drogi, Nowakowski – powiedziała Cesia i nie wdając się w zawiłe wyjaśnienia wepchnęła ojca do przedpokoju. Następnie poleciła potomkowi dentysty wypluć cukierek, umyć zęby i położyć się z powrotem do łóżka.

– Wcale nie byłem w łóżku – zauważył młodzianek. – Oglądałem kryminał w telewizji.

– Ty mnie, Nowakowski, nie denerwuj! – ostrzegła Cesia. – Mam jeszcze z tobą na pieńku o myszy! Marsz do łóżka, telewizor ci wyłączam, to film nie dla ciebie.

Nowakowski spojrzał na nią ironicznie i nie powiedział ani słowa nawet wówczas, gdy intruzi wdarli się do gabinetu, gdzie stał telefon.

Tu Żaczek jęknął, że nie pamięta numeru pogotowia.

Cesia wszakże wiedziała wszystko. Z uśmiechem wyższości wyjęła słuchawkę z rąk ojca, nakręciła numer, podała adres i poprosiła o przysłanie karetki.

– Coś takiego – mruknął Żaczek, któremu Cesia imponowała coraz bardziej, w miarę jak jego spokój i opanowanie zdawały się ulatniać bez reszty.

– Należy się złotówka – odezwał się głos od drzwi. Rozkoszny ośmiolatek najspokojniej w świecie stał w progu i gryząc ze zgrzytem landrynkę przyglądał się zimno Celestynie. Z pokoju dochodziło dudnienie włączonego znów telewizora. Młody Nowakowski był najwyraźniej człowiekiem, który dokładnie wie, czego chce.

– U, żebyś ty się dostał w moje ręce – mruknęła Cesia, idąc do drzwi. – Skakałbyś jak na sznurku. Powiedz ojcu, że wpadnę rano i oddam złotówkę! – krzyknęła już ze schodów, idąc z wolna za ojcem. – Takim typkom jak ty lepiej nie powierzać pieniędzy! – Nie mogła wprost patrzeć na Nowakowskiego, który, uśmiechając się pod ryżą czupryną, stał na progu w swojej cienkiej piżamce i ostentacyjnie bimbał torebką landrynek.

W domu ojciec i Cesia zastali sytuację napiętą, aczkolwiek owo napięcie było podzielone nierównomiernie. Mama, drżąca i blada, znajdowała się w pokoju Krystyny. Wyjrzała tylko zza drzwi i z wyrazem rozczarowania na twarzy cofnęła się natychmiast. Przez korytarz przebiegła ciocia Wiesia z wypiekami na twarzy i kubkiem gorącego mleka w ręce. W dużym pokoju było ciszej: dziadek pociągał herbatkę lipową i czytał Corneille'a, Bobcio zaś w największym skupieniu klęczał na podłodze i uczył swoją mysz trudnej sztuki chodzenia po linie, a ściślej, po nitce rozpiętej między fikusem a nogą od krzesła. Dla asekuracji podtrzymywał pod myszą swój berecik; gdyby się, biedactwo, omsknęła, miałaby go jak znalazł. Nieszczęsne zwierzę drżąc ze strachu wisiało panicznie na dwóch łapkach i oburzona Cesia nakazała Bobciowi, by położył kres tym kameralnym torturom.

Pogotowie wciąż nie przyjeżdżało.

Żaczek był blady, drżący i osłabiony. Otworzył drzwiczki dębowego kredensu i starając się nie słuchać dobiegających z pokoju Krystyny krzyków, wyjął butelkę gruzińskiego koniaku. Nalał złotego płynu do szklanki po herbacie – łyknął desperacko i stracił dech.

Tego trzeba było Bobciowi. Porzucił swą ofiarę, zbliżył się do wuja i wpił w niego błękitne spojrzenie inkwizytora.

– Dlaczego pijesz alkohol? Zawsze mówiłeś, że alkohol to używka dla mięczków!

Żaczek, zbity z pantałyku, zamrugał ze skruchą.

– No, tak – przyznał. – Ale, mój Bobku, powinieneś zrozumieć, że sytuacja mnie przerasta. Nigdy nie umiałem znosić mężnie czyjegoś cierpienia.

– Dlaczego mówisz, że sytuacja cię przerasta? – drążył Bobcio swym jasnym i czystym głosikiem. – Zawsze mówiłeś, że mięczaki tak się właśnie tłumaczą.

Żaczek chrząknął.

– Nie jestem mięczakiem – oświadczył.

– No, to dlaczego pijesz alkohol? Zawsze mówiłeś...

– Bobek! Spać! – załamał się Żaczek.

– Jeszcze mi się nie chce – powiedział Bobcio.

– Ale pójdziesz spać! I to już! O, wydaje mi się, że ten Nowakowski ma na ciebie bardzo zły wpływ!

– Już zaraz, zarusieńko – natychmiast zgodził się Bobcio. Nowakowski był jego ukochanym przyjacielem, i jedynym naprawdę niepodważalnym autorytetem.

W tej samej chwili rozległ się dzwonek u drzwi. Cesia rzuciła się otwierać.

– Pogotowie!

Doktor był młodym grubaskiem o pełnej twarzy, na której malował się wyraz godności i zniecierpliwienia zarazem. Wiewiórcze ząbki sprawiały, że jego dykcja była nader osobliwa.

– Gdzie jeft pacjentka? – spytał, karcąc Cesię spojrzeniem i przerywając w pół słowa jej wywody. W tej samej chwili rodzina gromadnie wypadła na korytarz.

– Nareszcie! Co tak długo!...

– Gdzie jeft pacjentka, pytam?!

Wpuszczono go do pokoju Krystyny. Wszyscy zgromadzili się w pobliżu, szepcąc z przejęciem. W korytarzu stali dwaj ludzie z noszami. Wprost czuło się ciężar tej chwili.

Stuknęły drzwi i pojawił się doktorek w całej okazałości.

– Bierzemy pacjentkę – zarządził. W czasie gdy dwaj krzepcy dżentelmeni wynosili Krystynę na noszach, doktorek wpił oburzone spojrzenie w tatę Żaka.

– Niefamowite – oświadczył. – Duża lekkomyflnofć.

Bobcio wpatrywał się w niego jak urzeczony.

– Czy pan jest Muminkiem? – spytał nieśmiało, dotykając go ostrożnie palcem.

– Powinien pan córkę odwieźć do fpitala już godzinę temu!

– Ależ, moje córki są... – Żaczek był ledwie żywy z przejęcia. – Doktorze, czy Krystynie coś grozi?

– Pytam dlatego, że pan mówi jak Topik i Topcia, proszę pana – powiedział Bobcio tonem nabożnego szacunku.

– Nic jej, profę pana, nie grozi. Ffyftko jeft na najlepfej drodze – powiedział doktor do Żaczka.

– O, matko! – krzyknęła Julia z furią. – No, to dlaczego pan straszył!

– Ja nie ftrafę, ja przeftrzegam – obraził się doktorek. – Żegnam. Pacjentka będzie w klinice na Polnej, profę fię kontaktować telefonicznie – i znikł.

– W dziesięć minut później Żaczek pobiegł do budki telefonicznej na rogu Kochanowskiego, by skontaktować się z kliniką. Kontaktował się z nią potem co kwadrans, dopóki około północy nie usłyszał zapierającej dech w piersiach nowiny. Kiedy wpadł w progi domu, ujrzano na jego obliczu wyraz czystego szczęścia.

– Mamy dziewczynkę! – krzyknął. – Mój Boże, co za radość! Wyobraźcie sobie, waży trzy i pół kilo i ma niebieskie oczęta!

IV

1

W tydzień później Krystyna i jej córeczka wróciły z kliniki. Nowo narodzona członkini społeczeństwa wyglądała na razie jak biała paczuszka z buzią wielkości pomarańczy. Od pierwszej chwili przejawiała energię, zdecydowanie i samowolę, a poza tym była skończonym cudem dla rodziny Żaków. Własną rodzinę noworodka reprezentowała wyłącznie Krystyna, której mąż, Wojtek, ojciec maleństwa, fatalnym zbiegiem okoliczności znajdował się właśnie na chałturze w województwie bialskopodlaskim i nikt nie wiedział, jakim by tu sposobem go odnaleźć.

Krystyna była tak przepełniona szczęściem, że nie dostrzegała żadnych niedogodności w swej obecnej sytuacji. Dziecko nazwała Irenką, na cześć mamy Żakowej, i właściwie nie miała żadnych zmartwień. Do czasu, gdy nadszedł wieczór, a siła fachowa w postaci położnej wciąż jeszcze się nie zjawiała, jakkolwiek w myśl obowiązujących przepisów powinna była przychodzić co dzień, by wykąpać noworodka.

Kiedy do ósmej wieczorem nikt się nie zjawił, Krystyna popadła w panikę.

– Ja się boję! Ja się boję jej dotknąć! – wołała przejmującym głosem, nie przyjmując ofert, którymi zasypywały ją mama, Julia i Wiesia. Żądała, by natychmiast sprowadzono jej siłę fachową i nie chciała za nic pojąć, że Julia ma najlepsze chęci, że mama Żakowa kąpała w swoim życiu dwoje dzieci, a ciocia Wiesia co prawda o jedno mniej, ale za to niedawno. Sytuacja zaczynała wygladać bardzo poważnie, bo zbliżała się niepodważalna godzina karmienia i mała Irenka zaczynała właśnie demonstrować siłę swych młodych płuc. To z kolei, na zasadzie sprzężenia zwrotnego, doprowadzało młodą matkę do łez i sprawiało, że z przejęcia nie była w stanie wykonać najprostszej czynności.

– Toż to histeria, panie tego – mamrotał dziadek, który również miał swoje doświadczenie w zakresie pielęgnacji niemowląt, ale któremu nawet nie pozwolono zgłosić swej kandydatury. Cała rodzina debatowała nad łożem Krystyny, mała Irenka ryczała jak tur, Bobcio, nieco zazdrosny o jej powodzenie towarzyskie, usiłował zdystansować małą i też wył, chociaż na wesoło.

Można było zupełnie stracić głowę. Celestyna jednakże, jak zawsze w obliczu sytuacji wymagającej działania, zyskała chłodny spokój. Przytomnie poszukała książki pod tytułem „Małe dziecko". Książeczka ta do niedawna stanowiła dla Krystyny coś w rodzaju Koranu, jednakże teraz okazała się nieużyteczna: Krystyna w ogóle nie była w stanie czytać czegokolwiek.

Cesia spokojnie otworzyła „Małe dziecko", przeczytała odpowiedni rozdział i przekradła się do łazienki, by tam przygotować się do ceremoniału kąpieli. Nie była to sprawa łatwa. Cesia przymierzała się trzy razy, nim wreszcie uznała, że sprosta wymogom sytuacji i że wszystkie niezbędne akcesoria znajdują się na pewno na właściwych miejscach, zalecanych przez Instytut Matki i Dziecka. Wtedy poszła po Irenkę. Noworodek właśnie przestał krzyczeć i otworzywszy zapuchnięte oczka zdawał się przysłuchiwać burzliwym odgłosom debaty toczącej się w drugim końcu pokoju. Cesia nieśmiało wyjęła maleństwo z łóżeczka i podtrzymując przepisowo małą główkę, zaniosła je do łazienki.

Wyłuskane z powijaków dziecko było takie drobne, rozczulające i bezbronne, że serce Cesi stopniało w jednej chwili. Malutka czerwona rączka z palcami grubości zapałki z niespodziewaną siłą ułapiła palec Cesi, a cienkie nóżki, oswobodzone z pieluch, wykonały kilka energicznych kopniaków. Wciąż zerkając do książki, Cesia zadziwiająco sprawnie umyła Irenkę, posmarowała jej pępek zielonym lekarstwem, opatrzyła i z wielką tremą przebrała wiotkie ciałko w świeży kaftanik. Długo mozoliła się nad prawidłowym ułożeniem pieluszki – wciąż jej się wydawało, że nie wygładziła jakiejś fałdki i biedne dzieciątko zaraz dostanie odleżyn. Ale małe stworzenie było wielce zadowolone: ucichło – przymknęło oczka i zaczęło rozkosznie posapywać. Celestyna przyczesała Irence rudawe włoski i tak wyelegantowaną, zawiniętą w kocyk, zaniosła z powrotem do łóżeczka, na karmienie. Nie domyślała się nawet, że postąpiła nader niedyplomatycznie i że odtąd głównie ona będzie kąpać Irenkę, jako ta, która robi to najlepiej.

2

Noc była ciężka. Noworodek spał do godziny drugiej po północy, po czym się obudził i krzyczał do piątej. Cesia i Krystyna, przejęte do głębi, nie zmrużyły oka aż do rana, gubiąc się w domysłach, co może być powodem tej rozpaczliwej demonstracji. Krystyna skłaniała się ku przypuszczeniu, że jej dziecko jest po prostu potwornie głodne. Mimo rad Cesi, a także wbrew surowym zakazom podręcznika, usiłowała przeforsować pogląd, że jeśli malutka płacze z głodu, to należy ją po prostu nakarmić, nie respektując czyichś tam wymysłów co do przerwy nocnej.

Julia, która usiłowała spać na sąsiednim tapczanie, o trzeciej nad ranem załamała się.

– Cesia, przecież twoje łóżko stoi bezużytecznie – wymamrotała z zamkniętymi oczami. – To może ja tam pójdę i niech chociaż ktoś w tym domu się wyśpi – wsadziła pod pachę swój ulubiony jasiek i poszła do dużego pokoju, żeby na składanym łóżeczku, obok Bobcia i jego myszy, znaleźć choć parę godzin snu. O szóstej rano noworodek nagle ucichł i pogrążył się w pokrzepiającej drzemce. Udręczona Krystyna i ledwie żywa Cesia natychmiast padły na tapczany i zasnęły snem kamiennym. Po upływie kwadransa dla małej Irenki nastał nowy dzień. Jej rześki krzyk poderwał na nogi wszystkich członków rodziny, z wyjątkiem Bobcia, którego nic nie było w stanie obudzić o tej porze. Julia, klnąc półprzytomnie, położyła sobie na głowę poduszkę Bobcia, swój jasiek i podgłówek z pobliskiego tapczanu, ale nie na wiele się to zdało; cienkie dźwięki o wysokiej częstotliwości przenikały bez trudu przez grube ściany. W tej sytuacji jedynym rozsądnym wyjściem było wstać i zjeść śniadanie.

Na szczęście była to niedziela i rysowała się nadzieja, że kiedy tylko Irenka nie będzie ryczeć, trafi się okazja do drzemki. Póki co zaparzono kawę i rodzina poziewując i drżąc zgromadziła się przy stole. W tej samej chwili krzyk dziecka ucichł. Żaczek poszedł na palcach do pokoju dziewcząt i zajrzał przez szparkę. Irenka spała. Obok jej łóżeczka, opierając czoło o oparcie krzesła, drzemała Cesia. Krystyna, która trzymała w jednej ręce pustą buteleczkę po mleku, a w drugiej mokrą pieluchę, wyszczerzyła zęby i trzęsąc rudą głową usiłowała bezgłośnie przekazać Żaczkowi informacje, że ma odejść, nie czyniąc hałasu. Sama siedziała boczkiem na tapczanie i bała się poruszyć, żeby nie jęknęły sprężyny. Żaczek odszedł, starając się nie oddychać. Jak zefir wpłynął do pokoju stołowego i opadł na swoje miejsce za stołem.

– No, jak? – spytała mama, której nawet nie przespana noc nie była w stanie odjąć pięknych rumieńców. Siedziała w swobodnej pozie za stołem, odziana w żółte poncho poplamione glinką ceramiczną, i gryzła słone paluszki.

– Trzeba coś postanowić – rzekł ojciec z wielkim ziewaniem i walnął łyżeczką w jajko na miękko.

– Z czym niby? Znowu jajka – marudził dziadek. – Ani śladu wędliny, panie tego.

– Ze wszystkich łakoci najbardziej lubię boczek – ubiegł go Bobcio, który był bardzo wesoły, bo się wyspał.

– Cóż chcesz, tatusiu, wczoraj była wolna sobota – ziewnęła mama Żakowa i popiła ze szklanki.

– To dziecko nie ma krzty szacunku dla starszych! – wybuchnął dziadek, który był nie w humorze. – Nie pozwoli mi nawet opowiedzieć mojego ulubionego dowcipu!

– Mam na myśli sytuację domową – wtrącił swoje Żaczek.

– Każdy ma – mruknęła Julia.

– Jajka i jajka, panie tego, na zmianę z kaszą gryczaną. Ile już razy prosiłem, żeby mi nie dawać jajek. I kaszy.

– A mąż Krystyny? – wpadła na genialny pomysł ciocia Wiesia.

– Bo jajka mi szkodzą. Zresztą, nie wiem, może to nie jajka, a kasza. W każdym razie na pewno coś mi szkodzi – indyczył się dziadek.

– Mąż Krystyny, mąż Krystyny. Wojtek zarabia na swoją rodzinę – powiedziała Julia tonem obronnym. – Ale swoją drogą – dodała – mógłby się wreszcie zjawić, szubrawiec jeden.

Bobcio się zainteresował.

– Szubrawiec – szepnął eksperymentalnie.

– Rzeczywiście, Krystyna dostaje w kość – stwierdził Żaczek.

– I Cesia też – dodała mama.

– No.

– Szubrawiec – próbował Bobcio smacznym głosem. – Szumowina. Szubrowina.

– Ja bym jednak radziła go poszukać. Wiem coś o tym, jacy są mężczyźni – nieśmiało powiedziała ciocia Wiesia i zacisnęła blade usta.

– Można by dać komunikat do radia.

– We wtorek, tatusiu, we wtorek – powiedziała mama Żakowa.

– We wtorek pójdę do mięsnego i kupię ci całe pęto kiełbasy.

– Szuja – mamrotał Bobcio coraz pewniej. – Szmata. Świnia.

– No, myślę – rzekł dziadek łaskawie. – W moim wieku nie mogę się odżywiać wyłącznie jajkami. I kaszą. Ze wszystkich łakoci najbardziej lubię boczek, panie tego.

– Ciociu, bo ciocia trafiła na nieudany egzemplarz – powiedziała Julia ze zniecierpliwieniem. – Wojtek to przedstawiciel innego pokolenia. Kocha Krystynę i gdyby wiedział, że jego dziecko już przyszło na świat... Na pewno wróci niedługo.

– Jednak do tego czasu... nie chciałbym, oczywiście, uchodzić za sknerę... – bąkał Żaczek.

– I tak już uchodzisz – docięła mu żona.

– Po prostu, nie bardzo widzę, jak moglibyśmy utrzymać jeszcze dwie osoby...

– Oj, tato! Ja nie wiem, dlaczego ty się martwisz na zapas! – zdenerwowała się Julia. – Jesteś jednak zarażony dulszczyzną. Ciekawa jestem, jak ty byś się czuł, gdybyś urodził dziecko i był bez grosza u obcych ludzi.

– Czułbym się zapewne dziwnie – przyznał Żaczek.

– Będę ci oddawała każdy zarobiony grosz! – powiedziała Julia tonem ofiarnicy.

– No, no, no – łagodził dziadek. – Przecież nikt nie chce tej kruszyny wyrzucać na bruk! Jeśli nie znajdzie się innego wyjścia, gotów jestem łożyć

na utrzymanie tych nieszczęsnych ofiar młodzieńczej beztroski – chrząknął apodyktycznie. – Mam przesadnie wysoką emeryturę. Zamierzałem, co prawda, zwyczajem starców odkładać co nieco na pokrycie kosztów własnego pogrzebu, ale z przyjemnością stwierdzam, że są pilniejsze wydatki. – Zmieszał się, widząc wpatrzone w niego twarze bliskich. – Gdzie jest, u licha, moja książka?! – krzyknął gniewnie. – Chodzą, śmiecą, w całym domu bałagan, panie tego, nikt się oczywiście nie liczy z moimi upodobaniami. Gdzie książka, pytam po raz ostatni?!

– A jaka? – rozejrzeli się domownicy.

Dziadek ugryzł się w język. W swojej ulubionej bibliotece Pałacu Kultury kierował się nadal kolejnością alfabetyczną i ostatnio natknął się był na Dumasa-ojca. Życzliwa pani kierowniczka odłożyła dla swego bywalca zaczytaną doszczętnie „Królową Margot" i obecnie starszy pan nieprzytomnie pochłaniał ów krwisty romans historyczny. Był nim oczarowany i wstydził się tego nawet przed sobą.

– A co wam do tego – burknął.

– Będziemy dziś mieli gości – odezwała się Julia. Starała się to zrobić półgębkiem, ale mama dosłyszała.

– Co takiego? Co ty mówisz?

– Przecież przyjdzie paczka Julii – wytłumaczyła ciocia Wiesia, zaciskając na piersiach poły kwiecistego szlafroka i wznosząc brwi. – Na pewno zechcą obejrzeć tę małą sierotkę.

– Jaką sierotkę, jaką sierotkę, ciocia to też...

– Oni są zawsze okropnie głodni – powiedziała mama z obawą.

Dziadek prychnął.

– Popadli w nawyk, panie tego. Zawsze się ich tu czymś karmi. No, nic, zeżrą przynajmniej te wszystkie jajka. – Szukał na tapczanie za sobą. – O, jest – powiedział, kryjąc nieznacznie książkę za plecami. – Idę do mojego pokoju, poczytam sobie trochę.

– Swołocz – delektował się Bobcio. – Swołocz.

– Co mówi to dziecko od piętnastu minut? – spytała Julia. – Czy nikogo to nie interesuje?

– Wszystkie słowa na „S" – wyjaśnił Bobcio.

– I tylko takie przychodzą ci do głowy?!

– Julia, o której można się spodziewać twoich hipisów? – cierpko spytała mama.

– To nie są hipisi.

– Fczeniak – powiedział Bobcio. – Fubrawiec. Fmierdziel.

– Niezależnie od tego, na pewno zjawią się w porze obiadowej. Otóż ja uprzedzam lojalnie, że dziś na obiad mamy nieznaczną ilość ryżu – oświadczyła mama Żakowa i sięgnęła po kromkę chleba z masłem dietetycznym. – Cóż chcecie, wczoraj była wolna sobota.

– Boże! – krzyknęła Julia. – Dulscy, Dulscy wokół mnie!

– Fuja – powiedział Bobcio i dostał czkawki.

3

Paczka Julii – brodacz, Tolo oraz jeszcze dwie ładne dziewczyny – przybyli po południu z wielkim bukietem kwiatów, żeby obejrzeć Irenkę. Krystyna, bardzo przejęta i zdenerwowana, krzyknęła na nich od progu pokoju, żeby się nie ważyli wchodzić dalej, bo naniosą wirusów. Stanęli więc posłusznie w drzwiach pokoju i przestępując z nogi na nogę, nagle bardzo speszeni, przepychali się, żeby choć z daleka zobaczyć dziecko.

– Nie za małe ono? – wyraził obawę Tolo.

– W sam raz – obraziła się Krystyna. – A nawet o pół kilo lepiej.

Była bardzo drażliwa na punkcie urody swojej córeczki. Uważała, że jest to najpiękniejsze dziecko, jakie przyszło na świat w ciągu ostatniego tysiąclecia. Potrafiła całymi godzinami leżeć bez ruchu, wpatrując się z zachwytem w małą, skurczoną twarzyczkę o żółto nakrapianym nosku. Potem sięgała po pomarszczoną rączkę i z czułością oglądała każdy z osobna mikroskopijny paznokietek. W zasadzie byłaby bezgranicznie szczęśliwa, gdyby nie targające nią obawy. Hordy wirusów, gronkowców, streptokoków, bakterii gnilnych i innych plugastw gromadziły się nad małym, białym zawiniątkiem, zawierającym wszystko, co miała najdroższego na tym okropnym świecie. Każdy płacz noworodka przyprawiał ją o bolesne skurcze serca. Przejeżdżające pod oknami domu samochody zostawiały za sobą smugi trujących spalin, które sączyły się zdradziecko przez uchylone okno; kiedy wszakże okno zamykano, wyobraźnia Krystyny zaczynała produkować obrazy okropnych, krzywiczych zniekształceń, którym ulegało jej dziecko z powodu braku świeżego powietrza. Słowem, jej stan daleki był od przepisowego spokoju i błogości.

Teraz znów mili dotychczas koledzy przeobrazili się w ziejących nikotyną i mikrobami brudasów. Mimo że Krystyna lubiła ich niezmiennie, byłaby najszczęśliwsza, gdyby natychmiast się wynieśli.

Oni jednak stali wciąż w progu i wpatrywali się w nią z najszczerszą troską.

– I co teraz będzie? – wymknęło się brodaczowi.

Krystyna w swoim aktualnym stanie ducha wolała nie myśleć o przyszłości, ten temat ją przygnębiał.

– Idźcie wy sobie najlepiej – powiedziała od serca. – Denerwujecie mnie tylko.

Wyszli potulnie. W dużym pokoju czekała już zaaferowana ciocia Wiesia.

– Proszę, moi mili... tu pepsi-cola... kanapki z jajeczkiem na twardo... i już uciekam, bo to... pieluszki pierzemy, Cesia i ja.

– Cierpliwości, ciociu – powiedziała Julia z otuchą w głosie. – Za kilka dni Krystyna będzie już zupełnie dobrze się czuła, wstanie i sama będzie wszystko prać.

Tolo stał obok z miną wodza.

– Trzeba by dyżury jakieś ustalić, czy coś... – powiedział. – Wszyscy moglibyśmy pomagać. Widzę, że pani ma moc pracy. Julia też się pewnie zamęcza...

– Wcale nie – powiedziała niechcący ciocia Wiesia i wystraszona zamrugała powiekami.

Julia spłonęła.

– Przecież pomagam ci, ciociu, prawda? – spytała przymilnie. – Jak zwykle...

– Wcale nie – powtórzyła ciocia Wiesia z nagłą decyzją. – Jak zwykle. Nie zagniesz nawet palca. Żyjesz jak pasożyt.

– Och! – krzyknęła Julia, w popłochu zerkając na Tolka. – Te twoje żarty, ciociu...

– Wcale nie żartuję. Unikasz pracy ze wszystkich sił. Twój mąż, jeśli się taki znajdzie, będzie miał ciężkie życie. Współczuję mu gorąco.

I z tymi miażdżącymi słowami ciocia Wiesia udała się do łazienki, by dokończyć pranie pieluch. Wędrując przez ciemny korytarz uśmiechała się pod nosem, przekonana, że tym razem akcja wychowawcza wobec Julii powinna dać nareszcie jakieś rezultaty.

4

W łazience było pełno pary. Unosiła się ona całymi kłębami z kociołka wyładowanego pieluchami i koszulkami. W myśl wskazań podręcznika „Małe dziecko" bieliznę noworodka należało gotować po każdym praniu. A było co prać. Dzieciątko lało niefrasobliwie i zużywało około czterdziestu pieluch na dobę. Kociołek, który Cesia przydźwigała z kuchni, zawierał normalną dzienną porcję bielizny.

Weszła ciocia Wiesia, przepasana niebieskim fartuchem i oznajmiła z satysfakcją, że dała Julii do myślenia.

– Poszli wszyscy do stołowego pokoju – dodała. – Twój brodacz też jest. Piękny chłopak, ale, Cesiu, nie wierz pozorom. On ma w oczach błysk cynizmu. Poza tym, im później dowiesz się, jacy podli bywają mężczyźni, tym lepiej dla ciebie.

– Oj, ciociu, no, naprawdę – powiedziała słabo Celestyna. Jakoś zupełnie zapomniała o istnieniu płomiennego brodacza. Nie myślała o nim od czasu rozstania w bramie i teraz tym bardziej nie miała do niego głowy. – Jak wyjąć te pieluchy? – spytała. Z kociołka waliły kłęby pary woniejącej gotowanym mydłem.

– Kopystką – powiedziała ciocia Wiesia. – Aha, dzwonił do ciebie jakiś kolega, kiedyśmy tu prały. Mama odebrała i kazała mu zadzwonić później.

– A gdzie jest kopystka? – spytała Celestyna i wzięła z rąk ciotki pustą miednicę. – Nie mówił, jak się nazywa?

– Zaraz ci przyniosę, jest w kuchni – odparła ciocia. – Mama mu powiedziała, że pierzesz pieluchy. Zaraz, jak on miał na imię... chyba Piotruś... nie, Jurek.

Celestyna nagle poczuła jakby pchnięcie w żołądek. Na twarz buchnęły jej rumieńce, serce omdlało, oczy zasnuły się łzami.

– Powiedziała mu... że piorę pieluchy?! – To, że Hajduk dzwonił do niej, było niewiarygodne. Ale jeśli dzwonił... jeśli dzwonił... to stało się coś okropnego. Pieluchy! Nie dość, że Hajduk jej nienawidzi, to teraz jeszcze trafił mu się powód do szyderstw, bo że on z niej będzie szydził w duchu, Celestyna nie wątpiła ani przez chwilę.

– Nie, już wiem – rzekła ciocia Wiesia. – Pawełek.

Cesia odczuła jednocześnie tak wielką ulgę i tak wielkie rozczarowanie, że jedyną rzeczą, do jakiej była zdolna, stał się obfity, rzewny płacz.

5

Jerzy Hajduk jednak wrócił do szkoły. Po wizycie Celestyny opanował go w ogóle zupełnie inny nastrój. O, nie lubił jej okropnie w dalszym ciągu, a przynajmniej usiłował nie lubić, ale fakt, że przyszła specjalnie do niego, żeby go przeprosić, ujął mu wiele z poprzedniego rozgoryczenia. Kiedy zaś ujrzał przez okno, jak Cesia wybiegła z bramy jego domu zanosząc się od płaczu, niewiele brakowało, a byłby pobiegł za nią. Na szczęście ten brodaty półgłówek natychmiast się pojawił w polu widzenia i to uratowało Jerzego przed popełnieniem głupstwa.

Tak czy inaczej, postanowił jednak wrócić do szkoły. Od razu po powrocie przekonał się, że zyskał wielu kolegów. Zwłaszcza Pawełek nie odstępował go po prostu. Przez kilka dni Jerzy zanurzał się z głową w oceanie męskiej przyjaźni i aprobaty, który go zewsząd otaczał. Nawet jakby trochę przestał myśleć o Celestynie. Chłopaki zaciągnęli go do kina, potem Pawełek zdobył bilety na recital Ewy Demarczyk, a potem był mecz hokejowy Polska – NRD, na który poszli całą gromadą i na przemian to wrzeszczeli, to dęli w trąbki, dopingując swojaków. W przerwach między tymi imprezami koledzy tłumnie okupowali mieszkanie Jerzego, zachwyceni, że nie widać tam żadnych rodziców i nikt nie broni im palenia extra mocnych.

W szkole też go nie odstępowali. Pawełek nawet poprosił Dmuchawca o zgodę na zamianę miejsca i usiadł z Jerzym, na zawsze opuszczając ławkę Celestyny.

Celestyna tylko, jedyna w klasie, patrzała na Hajduka wilkiem. Jeśli w ogóle patrzała. Najczęściej Jerzy mógł tylko podziwiać jej lewy profil z dumnie wzniesionym nosem.

W poniedziałek jednakże coś się nagle zmieniło. Cesia odezwała się do niego na przerwie. Na następnej lekcji miała być klasówka z fizyki i wszyscy gnali do gabinetu fizycznego w nadziei, że zdążą ukryć pod stołami, co należy. Tylko dzięki temu koledzy odstąpili Jerzego, który powoli wyszedł z klasy i podążył korytarzem w stronę gabinetu.

Cesia idąca przodem obejrzała się, zatrzymała i podeszła do Jerzego. Twarz miała bladą i zaciętą.

– Czy to ty do mnie wczoraj dzwoniłeś? – spytała krótko i ostro, patrząc w bok.

Jerzy odparł, że nie. Istotnie, nie dzwonił. Do głowy by mu nie przyszło, że mógłby to zrobić.

– Uhm, tak też myślałam. Pytam na wszelki wypadek. Nie mogłam podejść do telefonu, bo... p-pisałam... wiersze – palnęła Cesia i zrobiła minę zajączka. Potem spłonęła nagłym rumieńcem, odwróciła się na pięcie i pobiegła w przeciwnym kierunku, niż należało.

Serce Jerzego wezbrało falą rozczulenia. Poszedł w stronę gabinetu fizycznego, uśmiechając się bezmyślnie. Tego dnia nie zamienił już z Celestyną ani słowa, ale aż do wieczora nawiedzało go wspomnienie jej małej buzi i okrągłych oczu o barwie agrestu.

Przed północą położył się spać. Do poduszki czytał trochę Feynmana, zasnął z książką, potem się ocknął, zgasił światło i na dobre zapadł w sen. Obudził się nad ranem. Śniło mu się coś zadziwiająco miłego i dobrego – jakieś długie – długie rozmowy, w których czegoś nie dopowiadał; nie pamiętał nawet, z kim rozmawiał we śnie, ale pozostawało po tym na jawie uczucie radości i dobroci. Za oknem było ciemno, zielone wskazówki zegara tkwiły na wpół do szóstej. Jerzy zamknął oczy, wcisnął twarz w poduszkę i czym prędzej zasnął, żeby dokończyć te rozmowy i dopowiedzieć jak najszybciej to wszystko, co nie zostało powiedziane.

6

Cesia wróciła ze szkoły okropnie przybita. Danka, która jej towarzyszyła, minę miała raczej niezależną. A przecież to Danka złapała dziś dwójkę z matematyki i ona powinna się martwić.

– Jak ty tak możesz? – bardziej przygnębiona niż rozgniewana pytała Cesia, wchodząc z przyjaciółką w progi swego domu. – Nie mogę zrozumieć, skąd u ciebie tyle beztroski? Przecież jak tak dalej pójdzie, zostawią cię na drugi rok!

– No, to najwyżej – powiedziała Danka, zdejmując płaszcz i zarzucając go na wieszak.

– Mogłabyś się uczyć chociaż z przyjaźni dla mnie. Co ja teraz powiem Dmuchawcowi? – Cesia była rozgoryczona.

– No, wiesz! – parsknęła Danka. – Ale z ciebie egoistka! Myślisz tylko o sobie!

- Co? - speszyła się Cesia.
- Dziewczynki, to wy? - zawołała mama z kuchni. - Myjcie ręce i siadajcie do stołu. Dziś na obiad mamy coś pysznego!
- Krystyna gotowała - powiedziała Julia, wyłaniając się z pokoju dziewcząt. W ramionach piastowała zawiniątko z Irenką, z czym było jej niespodziewanie bardzo do twarzy. - Bo Wojtek wrócił, ten marnotrawny mąż.

W istocie, wąsaty Wojtek, opalony i zadowolony, znajdował się w łazience, gdzie prasował pieluchy, wkładając w tę czynność całą duszę. Miał podwinięte rękawy od koszuli, na nogach nowe kapcie Żaczka i w ogóle wyglądał na tak zadomowionego, że Cesia poczuła pewien niepokój. Przy obiedzie okazało się, że nie bez podstaw.

- Wojtek zamieszka chwilowo z nami - zawiadomiła wszystkich mama. - Do czego to podobne, żeby młoda rodzina musiała żyć w wiecznej rozłące z tak głupiego powodu jak brak mieszkania.
- Mama nie dodała, że Krystyna i Wojtek chcieli się właśnie dzisiaj przenieść do wynajętego pokoju na przedmieściu i że właśnie ona sama, kiedyś tak niechętna goszczeniu Krystyny, zaproponowała młodym małżonkom dawny pokój dziewcząt - choćby tylko do wakacji. Ukrywała, nawet przed sobą, że jest ciężko zakochana w małej Irence i nie może sobie wyobrazić rozstania z tym mikroskopijnym stworzonkiem. - Cesiu, urządzimy ci kącik w moim pokoju - dodała. - Wyrzucę tylko trochę rzeźb, i tak już dawno powinnam zrobić tam porządek.
- To ja się lepiej przeniosę na wieżyczkę - powiedziała Cesia ze spokojną rezygnacją, zastanawiając się, czy może się jeszcze zdarzyć coś, co spowoduje, że i na wieży nie będzie dla niej miejsca. Nie wiedziała, że przyszłość istotnie szykuje jej taką siurpryzę.
- Krystyna ugotowała fantastyczny obiad - zachwalała mama Żakowa.
- Rzeczywiście - potwierdził ukontentowany Żaczek. - Już to jedno nastraja mnie przychylnie do naszych nowych układów rodzinnych. Obiad jest znakomity - nie tylko smaczny, ale i zdrowy. - Odsunął talerz po pachnącym żurku i z upodobaniem polał sosem ziemniaki. Następnie spróbował pieczeni. - Cudo! - wykrzyknął. - Krysiu, mam nadzieję, że twoje uczucia do męża będą ulegały systematycznemu polepszeniu, a tym samym, że będziesz gotowała równie dobrze, jak systematycznie.

Bobcio jadł ze smakiem.

– Jak duży jest krasnoludek? – spytał znienacka. – Jak bakteria?

– Trochę większy – odparła ciocia Wiesia. – A bo co?

– A jak duża jest bakteria?

– Jest trochę mniejsza od krasnoludka – wyjaśnił Żaczek. – A bo co?

– Bo coś tu mam na talerzu.

– To na pewno witamina – rzekł Żaczek.

– Nie, to pieprz – odezwał się dziadek.

Znękana Cesia mogłaby się założyć o milion, że wie, jakie będzie następne pytanie.

– Czy pieprz ma witaminy? – spytał Bobcio.

– Masy. Masy – uspokoił go Żaczek.

– A po co Bóg stworzył bakterie?

Zapadła chwila niezręcznej ciszy.

– Już on tam wiedział, po co – uratował sytuację dziadek.

– Nowakowski mówił, że Bóg stworzył dobre bakterie, żeby kisiły ogórki, a złe, żeby ludzie chorowali. Ja tam myślę, że złe są niepotrzebne.

– Są potrzebne – powiedziała ciocia Wiesia.

– Ale po co? – wykłócał się Bobcio. – Po co?

Dorośli zamyślili się. Faktycznie, po jakie licho?

– Choroby powodują selekcję naturalną – wyjaśniła Celestyna. – Słabsze, mniej odporne osobniki ulegają zagładzie.

– Pyszne mięsko, à propos selekcji – wtrącił Żak, mieszając sos z surówką i dokładając sobie pieczeni.

– Mięsko to ja piekłem – pochwalił się mąż Krystyny.

– Ach, być nie może! – zachwycili się obecni, nawet nie przeczuwając, co czeka ich za chwilę.

A to Bobcio zakasłał, poprawił się w krześle, po czym wypalił z najgrubszej rury:

– A po co Bóg stworzył człowieka?

7

Tak więc w żółtym domu przy ulicy Słowackiego zrobiło się naprawdę rodzinnie. Cesia myślała o tym bez irytacji, raczej z pewnego rodzaju pokorą wobec Losu. Było oczywiste, że musi zamieszkać na wieży. Z tym godziła się bez zastrzeżeń. Natomiast prawdziwą zgrozę budziła w niej myśl o tym, co będzie się odtąd działo w kolejce do łazienki.

Poza tym istniała niebagatelna kwestia mycia naczyń – przy ośmiu, a często i dziewięciu jedzących wciąż osobach, ilość naczyń można było liczyć na tony i, co najgorsze, nikt nie kwapił się do zmywania. Lecz była w tym domu jedna osoba ofiarna, odpowiedzialna i okresowo nawet posiadająca poczucie rzeczywistości. Każdy seans przy zlewie zabierał jej około dwóch godzin dnia. Rozmyślając dla rozrywki przy tej pracy, Celestyna złożyła sobie śluby, że nigdy nie wyjdzie za mąż. Dzięki temu, kiedy będzie dorosła i wyprowadzi się z domu, nigdy już nie będzie musiała wykonywać obmierzłej czynności zmywania garów.

Myślała też nad tym zlewem – nie wiadomo na zasadzie jakiego skojarzenia – o Hajduku, który ma piękne, jasne oczy o roztargnionym spojrzeniu, właściwym tylko ludziom o wybitnej umysłowości. Jest oczywiście gburem i źle wychowanym smarkaczem, nie umiejącym zupełnie panować nad swoimi szczeniackimi odruchami. Doprawdy, żałosne to widowisko, rżący Hajduk, poklepujący po plecach Pawełka i wykrzykujący: „A wtedy on mu drybling, brachu, i trzask, trzask, brachu, buda z lewej!". W ogóle, cała ta banda szczeniaków wokół Hajduka irytowała Celestynę w najwyższym stopniu. Oni zupełnie do niego nie pasowali. O ileż lepiej wyglądał Hajduk samotny i posępny, ze wzrokiem jakby szukającym bratniej duszy w tym pustym Wszechświecie...

– Czy ty jesteś nieprzytomna? – spytała Danka, stając obok zlewu. – Już drugi raz cię pytam, która godzina, a ty nic, tylko mruczysz coś pod nosem...

Cesia drgnęła i zakręciła kran.

– No, to co – nie uczymy się dziś? – w głosie Danki była nadzieja.

– Oczywiście, że się uczymy – ocknęła się Cesia. – Jazda, pakujemy manatki i na wieżę!

Wzięły sobie po jabłku i powędrowały do swojej izolatki. W mieszkaniu na dole mrok snuł się już po kątach, a tu wysoko w wieży, wciąż jeszcze pełno było słonecznego blasku. Przez okienka widać było bezlistne czubki drzew i żółte niebo, pełne drobnych, świetlistych obłoczków. W wieży było w gruncie rzeczy szalenie miło. Cesia włączyła grzejnik, z westchnieniem rozciągnęła się na materacu i zdjęła pantofle. Zupełnie się jej nie chciało zabierać do nauki. Nie sprzeciwiła się, kiedy Danka nastawiła płytę z jakąś delikatną i słodką muzyką. Leżała sobie, patrząc to na niebo, to na przypięte do wąskich pasm ściany kolorowe plakaty i doświadczyła uczucia dziwnego, miłego smutku i nieokreślonej tęsknoty. Niedługo wiosna... co też ona przyniesie?

– Chciałabym się zakochać – powiedziała nagle głośno i aż drgnęła wystraszona. Zupełnie zapomniała o Dance.

Przyjaciółka spojrzała na nią wyrozumiale.

– Kto by nie chciał – powiedziała. Flegmatycznie pojadała jabłko i jednocześnie coś pisała w ułożonym na kolanach zeszycie. – Szczerze mówiąc, ja też o niczym innym nie marzę.

– Jak to? – spytała z ciekawością Cesia i uniosła się na łokciu. – Myślałam, że się kochasz w Pawle?

– Skąd – powiedziała Danka. – On mnie nie rozumie. Zupełnie. Zakocham się tylko w tym, który potrafi pojąć wszystkie tajemnice mojej jaźni.

– O, rany – przejęła się Cesia.

– Tak, moja droga. Ale nie będzie to proste, spójrz tylko wokół. Czy widzisz w okolicy, choć jednego interesującego chłopaka?

Cesia spojrzała wokół i ujrzała tylko plakaty filmowe.

Potem wybiegła wyobraźnią nieco dalej i ujrzała szczupłą twarz z dużym nosem, zapadniętymi policzkami i jasnymi oczami o długich rzęsach.

– Nie, nie widzę – powiedziała stanowczo. – Ani jednego.

– No i właśnie – Danka zamknęła zeszyt i pospiesznie skończyła obgryzanie jabłka. – I gdzie tu teraz szukać tego, co by był interesujący i jednocześnie cię rozumiał?

– Ja bym nie była taka wymagająca – powiedziała Cesia nieco rozmarzona. – Wcale by nie musiał mnie rozumieć.

– No, tak – mruknęła Danka. – Dużo do rozumienia by nie miał...

– Co? – spytała Cesia w roztargnieniu.

– Nic.

– Wiesz co?

– No?

– Właściwie, mogłabym się zakochać bez wzajemności – wyznała Cesia. – Jeśli tak się zagłębić w swoje uczucia, to można dojść

do wniosku, że nie jest ważne, czy mnie ktoś kocha – tylko czy ja go kocham.
– No, coś ty!
– Mówię poważnie.
– No, a ten twój brodacz? – spytała Danka ciekawie. – Dosyć interesujący, co?
– E, tam – powiedziała Cesia. – Wcale nie.
– Ładnie się ubiera...
– Głupek.
– Dlaczego głupek?
– Kłócił się, że „Koriolana" skomponował Verdi.
– A nie skomponował?
– Nie.
– No, to faktycznie. Po co się kłóci.
Cesia przełożyła płytę na drugą stronę i znów opadła na materac.
– Fajnie jest – powiedziała. – Nie chce mi się palcem kiwnąć.
– Mnie też! – ucieszyła się Danka. – Wiesz co? Nie uczymy się dzisiaj!
– O nie!!! – krzyknęła nagle Cesia i poderwała się jak ukłuta szpilką.
– Jazda, do nauki! – Napłynęła na nią znienacka miażdżąca świadomość nieszczęścia. Przecież to dziś Danka dostała dwóję z fizyki! A ona, zamiast ratować sytuację, zamiast zacierać ślady swojej pedagogicznej klęski, jeszcze utwierdzała Dankę w jej lenistwie!
Co też ta wiosna robi z człowiekiem...

8

Kilka dni później Danka oberwała kolejną dwóję, i to, o zgrozo, od Dmuchawca. Lekcja polskiego dobiegła końca i nauczyciel nie zdążył już spożytkować całego zapasu kąśliwości, jakim obdarzyła go matka Nautra. Wobec tego złapał Celestynę na przerwie i pogardliwie prychając zadał jej celne pytanie:
– Nawalamy, co, panno Żak?
Wystraszona Cesia stała przed nim pokornie. Nieśmiałość, owa przeklęta choroba, zmieszała się z poczuciem winy i cały ten ciężkostrawny koktajl sprawił, iż biedna Cielęcina nie mogła wykrztusić słowa.

134

– Prosiłem cię, panno Żak – znęcał się Dmuchawiec – żebyś wyciągnęła za uszy tego lenia, Filipiakównę. Ale ty nie dość, żeś tego nie uczyniła – to jeszcze sama popadłaś w kłopoty. Co ma znaczyć ta nędzna trójczyna z minusami, którą postawił ci biolog? Hę?

Cesia błagała opatrzność, żeby Dmuchawiec zechciał dostać nagłej chrypki. Spektakl przyciągnął już kilka osób, a pod pobliskim filodendronem kolega Jerzy Hajduk z właściwą sobie wyniosłością zagłębiał się w lekturze gazety codziennej.

– O, jakże srodze się człowiek zawodzi, obdarzając bliźnich zaufaniem! – wykrzyknął Dmuchawiec głosem stentorowym. Przechodząca korytarzem wicedyrektorka spojrzała na Cesię wzrokiem wyrażającym potępienie i automatyczną solidarność z Dmuchawcem.

– O cóż chodzi, powiedz mi, proszę! – huknął Dmuchawiec. – Masz kłopoty? Chorujesz i nie dajesz sobie rady? Zakochałaś się?

Cesi wrócił głos.

– Nie!!! – krzyknęła. Jeszcze tego brakowało, żeby insynuacje Dmuchawca dotarły pod filodendron i zostały jakoś niewłaściwie zrozumiane.

– No, to co wobec tego? – spytał Dmuchawiec głosem niespodziewanie cichym i łagodnym. Jednocześnie ruchem ręki przepędził gapiów.

– Ja się postaram... – jęknęła Cesia.

– Chciałbym w to wierzyć – powiedział z powątpiewaniem Dmuchawiec. Przyjrzał się Cesi z uwagą. – Blado wyglądasz. Daje się również zauważyć pewna ociężałość umysłowa. Zupełnie, jakbyś była ciągle niewyspana.

„Bo jestem" – pomyślała Cesia z błyskiem humoru. Irenka w dalszym ciągu nie rezygnowała z okropnych ryków o drugiej w nocy. Wojtek i Krystyna w krańcowej rozpaczy, nie mogąc sobie poradzić z dzieckiem, obudzili którejś nocy Cesię smacznie śpiącą na wieży i odtąd weszło to w zwyczaj. Jedna bowiem Cielęcina umiała nakarmić dziecko herbatką z koperku włoskiego tak spreparowaną, by Irenka nawet nie podejrzewała, iż nie jest to mleko. Ponadto Cesia wymyśliła genialny sposób wprowadzania Irenki w błąd: do nocnego karmienia nie brało się jej na ręce, tylko unosiło się nieco wezgłowie łóżeczka. Kiedy mała wytrąbiła zawartość butelki, należało z całą ostrożnością i bardzo powoli opuścić posłanie do poprzedniej pozycji tak, by dziecko, opite jak bąk, nie odczuło nawet drgnienia i nie otworzyło zamkniętych przy posiłku oczek. Następnie w ciągu dwóch sekund należało opuścić na palcach pokój i wtedy rysowała się nadzieja, że Irenka zaśnie mniej więcej na trzy godziny.

– Wydajesz się jakaś otępiała – ciągnął Dmuchawiec. – Powiedz, co czytałaś ostatnio?

– „Choroby wieku dziecięcego" – odparła Cesia bez namysłu.

– Co?!... – Dmuchawiec osłupiał.

– No... taki podręcznik... – Cesia zamrugała niepewnie.

– Zdaje mi się, że czytasz nie ten podręcznik, co trzeba – powiedział Dmuchawiec zjadliwie. I w tym momencie podskoczył, ponieważ tuż nad jego głową rozległ się ogłuszający terkot dzwonka. Przerwa się skończyła. Celestyna mogła wracać do klasy.

W drzwiach zrobił się korek, bo wszyscy naraz się pchali, i Cesia stanęła nieco z boku, żeby przeczekać.

– Czego on chciał od ciebie? – spytała Danka, wyrastając nagle za jej plecami.

– E, daj spokój – mruknęła Cesia.

– Mówił coś o mnie?

– Daj spokój.

– No, powiedz!

– Mówił.

– Że co?

– Że jestem winna i że nie można mieć do mnie zaufania, i że się na mnie zawiódł, ponieważ nie umiem cię wyciągnąć – powiedziała Cesia, patrząc przyjaciółce w oczy.

– Tak? – uśmiechnęła się Danka, patrząc nieco w bok. – No, no... Myślę, że się tym nie przejęłaś?

– Przejęłam się – oświadczyła Cesia. – Muszę z tobą poważnie porozmawiać.

– Ho, ho! I kiedyż to, kiedyż?

– Po południu... – powiedziała Cesia z roztargnieniem. Hajduk stanął naprzeciwko, po drugiej stronie tłumku wciskającego się w drzwi klasy. Pod pachą trzymał złożoną gazetę, poświstywał przez zęby i nie dostrzegając Cesi wpatrywał się w dal korytarza. Wysoki, wyprostowany, z wielkim dumnym nosem i oczami pełnymi wewnętrznego światła. „Jurek" – szepnęło coś w głowie Cesi i przyłapała się na tym, że gapi się na Hajduka. Trwało to chwilę, jednak wystarczyło, by oblała

się purpurą na myśl, że ktoś mógłby zauważyć jej spojrzenie. Odwróciła
się gwałtownie i wcisnąwszy się w tłum przedostała do wnętrza klasy.

9

Było słoneczne ciepłe popołudnie. Marcowe powietrze pachniało
świeżością i słońcem. Okna mieszkania przy ulicy Słowackiego były
szeroko otwarte. Gdyby ktoś potrafił unieść się na wysokość drugiego piętra i zajrzeć przez okna Żaków, zobaczyłby zakurzone jak
zwykle pokoje, a w nich gorączkową krzątaninę. Cesia i Danka,
które w ponurych nastrojach, nie na żarty skłócone, przywlokły się
ze szkoły, nie mogły, rzecz jasna, widzieć z zewnątrz, co dzieje się
w domu. Toteż wszedłszy w jego progi zostały porażone atmosferą
katastrofy.

– Co się stało?! – krzyknęła Cesia, widząc członków swej rodziny
bezładnie biegających po mieszkaniu.

– Tragedia! Tragedia! – krzyczała mama Żakowa, łapiąc się za
głowę. – Cesiu! Danusiu! Ratujcie!

– Ale co się stało?! – wrzasnęła Cesia. Mama Żakowa oddalała się
w kierunku kuchni, nerwowo podskakując.

– Kataklizm – melancholijnie powiedział ojciec, stojący z założony-
mi rękami pośrodku dużego pokoju. – Kataklizm. Doprawdy, nie wiem,
czym zasłużyłem sobie na takie okrucieństwo ze strony Losu. A mówiłem, prosiłem, błagałem – chcę mieć synów. Nie – oczywiście
narzucono mi córki. I otóż teraz mamy rezultaty tej fatalnej omyłki.
– Kiwając posępnie głową, poszedł do swego gabinetu.

Ciocia Wiesia wypadła z kuchni.

– Gdzie Bobek? Gdzie moje dziecko?! – krzyczała.

– Co się stało?! – Cesia nie panowała już nad nerwami.

– Bobek jest w piaskownicy – oznajmił dziadek, człapiąc korytarzem. – Buduje z Nowakowskim dwukondygnacyjny zamek dla myszy.
Całe szczęście, przynajmniej ich tu nie będzie, kiedy oni przyjdą.

– Kto przyjdzie? – ryknęła Cesia.

Dziadek spojrzał na nią, jak na opętaną przez złego ducha.

– Czego ty krzyczysz? – rzekł z naganą. – Przyszła ze szkoły, panie
tego, i zamiast powiedzieć „dzień dobry", z punktu zaczyna wrzeszczeć.

I to na kogo? Na starego, schorowanego rencistę. Mogłem był dostać ataku serca, panie tego.

Cesia jęknęła. „Czyste szaleństwo" – pomyślała bezsilnie.

– Tato, co się dzieje? – spytała łagodnie, wchodząc do pokoju ojca. Żaczek siedział na swoim tapczanie, oczy miał szkliste i urywanymi ruchami czyścił sobie półbuciki.

– Tato, czy możesz mi w dwóch słowach powiedzieć, o co tu znów chodzi?

– Mówiłem ci. Kataklizm. Przed chwilą dzwoniła Julia. Jest z Tolkiem i jego rodzicami na spacerze i tak im przyszło do głowy, że wpadną do nas z maleńką wizytą.

– O, bogowie! – szepnęła Cesia martwiejąc.

– Otóż to – powiedział Żaczek. – Będą za kwadrans, koleżanko.

– To my z Danką idziemy na wieżę – oznajmiła Cesia.

– O, nie! – krzyknęła mama, wpadając znienacka do pokoju i zanurzając się do połowy w bieliźniarce. – Nigdzie nie pójdziecie, trzeba posprzątać, na miłość boską, gdzie jest ta kremowa serweta?

– W praniu – przytomnie powiedziała Cesia. – Wczoraj wyprasowałam tę w krateczkę.

– W krateczkę! – krzyknęła mama łamiąc dłonie. – Hrabina przyjdzie i ten tam, jak mu, lord od Pascala, a ty mi tu, proszę ciebie, krateczkę proponujesz! Danusia, masz tu pieniądze, leć po ciastka do cukierni. Jakieś eleganckie!

– Może lepiej tort? – zaproponowała Danka, biorąc portmonetkę z rąk mamy Żakowej i zapinając płaszcz.

– Tak, tort będzie lepszy – przyznała mama Żakowa. – Cesia, a ty bierz się za miotłę, trzeba jakoś tu posprzątać!

– I tak nic nie pomoże – stwierdził smutno Żaczek.

Cesia zrzuciła botki, przypasała fartuch i zabrała się do sprzątania. Ciocia Wiesia w tym czasie myła spiesznie naczynia, mama zbiegła do Nowakowskich pożyczyć porcelanę do kawy, ojciec wciąż czyścił półbuciki i nawet dziadek przyłączył się do porządków, dłubiąc w swej fajce. Kiedy po dwudziestu minutach rozległ się dzwonek u drzwi, wszystko było mniej więcej poukładane, wyczyszczone i wydłubane. Mniej więcej – bo bystry obserwator dostrzegłby bez trudu wystające spod szafy zabłocone kalosze Bobcia, kurz na telewizorze, popękane ze starości ściany i przetarty dywan. Dzwonek brzęknął po raz drugi.

– Dzień dobry państwu – powiedziała wdzięcznie mama Żakowa, otwierając drzwi. – A cóż za przemiła niespodzianka!

Julia miała przerażone oczy i twarz koloru gipsu. Tolo, również zdenerwowany, wiódł pod rękę szczupłą, wytworną damę o rasowym profilu, odzianą w zimowy kostiumik typu Chanel. Wokół przegubów jej dłoni brzękały bransolety ze starego srebra.

– Dzień dobry – przemówiła dama głosem dystyngowanym.

Wylękniony Żaczek witał się tymczasem z jasnowłosym, suchym dżentelmenem, który mimo różowych odstających uszu wyglądał rzeczywiście na lorda.

– Bardzo nam miło, bardzo nam miło – powtarzali na przemian obaj panowie.

W kuchni ciocia Wiesia gorączkowo doprowadzała do porządku porcelanę Nowakowskich. Danka i Cesia rozpakowały duży tort i ułożyły go na pięknej paterze.

– Matko boska, ja tam nie idę – oświadczyła ciocia Wiesia. – Jestem nie uczesana, od tygodni nie byłam u fryzjera.

– Ciociu! Musi ciocia! – wykrzyknęła Cesia szeptem. – Ja też tam nie wejdę, za żadne skarby świata!

– Wejdziesz, wejdziesz – powiedziała ciocia. – Ja się uparłam, zresztą, o, zobacz, jestem w podomce.

– Ja idę na wieżę – powiedziała Danka. – Poucze się troszkę.

Cesia westchnęła, nalała wody do imbryka i postawiła go na gazie. Potem poszła do łazienki, żeby się nieco przyczesać i upiększyć. Sytuacja była więcej niż poważna i należało zmobilizować wszystkie atuty. „Biedna Julka" – pomyślała Celestyna i z rozmachem pomalowała sobie powieki na niebiesko.

10

– A, otóż i Cesia! – powiedziała mama. Nikt, kto mamy Żakowej nie znał, nie przypuściłby nawet, że ta piękna, tęga pani o spokojnych ruchach i miłym, macierzyńskim uśmiechu, jest zdenerwowana do ostatnich granic. Domownicy natomiast nieomylnie rozszyfrowali drżenie jej głosu i trzepot czarnych rzęs. – Chodź, kochanie – zachęciła mama Cesię i wzięła z jej rąk tacę pełną porcelany Nowakowskich.

Podczas gdy wspaniała dama i jej lordopodobny małżonek lustrowali Cesię od stóp do głów, Tolo przesłał jej krzepiący uśmiech.

– Miła panienka – zdecydowała wreszcie dama. – I cóż za poważny makijaż!

W istocie Cesia użyła wszelkich środków z arsenału Julii i własnego, by wydać się gościom istotą na odpowiednim poziomie. Mina ojca świadczyła, że jej zamysł był nieco chybiony.

– Młode to i głupie, panie tego – powiedział dziadek i chrząknął zmieszany, wszyscy bowiem jego współplemieńcy obdarzyli go nagle spojrzeniami pełnymi paniki, jakby wyjawił jakiś hańbiący sekret rodzinny.

– Julia jest oczywiście o wiele poważniejsza – pospieszył z zapewnieniem ojciec. Julia uśmiechnęła się kurczowo, obnażając suche zęby.

– Bardzo lubimy Juleczkę, ekhe, ekhe – oświadczył nagle lord, pokasłując. – Jest taka subtelna. Jak kwiatuszek.

– Kawy?! – spytała Cesia błyskawicznie, modląc się, by nikt z rodziny nie zechciał sprostować tej opinii.

Szczęściem rozmowa zboczyła teraz na tory gastronomiczne i Żakowie mogli nieco zluzować napięte wodze swych nerwów.

– Śliczna porcelana – zachwyciła się wytworna matka Tola, ujmując w dwa palce kruchą filiżankę z kawą. – Właśnie takie drobiazgi, pamiątki rodzinne przechodzące z pokolenia na pokolenie, budują atmosferę w domu.

Nikt jej nie zaprzeczył. Bo czyż nie miała racji?

Cesia krajała tort dbając, by trójkąciki ciasta były idealnie równe i czysto przycięte. Dziadek znalazł niespodziewanie wspólny język z ojcem Tola – rozmawiali mianowicie o „Charakterach” La Bruyère'a. Temat był neutralny i Julia wyraźnie się odprężyła. Jak dotąd, wszystko przebiegało bez poważniejszej awarii. Żaczek bawił rozmową matkę Tola, metodą popularną zapoznając ją z podstawami mechaniki kwantowej. Mama Żakowa trzymała w rękach stery konwersacji, dorzucając już to ciepłą uwagę o kwantach, już to inteligentny komentarz do La Bruyère'a. Było naprawdę całkiem miło. Lecz nie na długo.

Nagle drzwi pokoju otworzyły się z hukiem i wpadł Bobcio – wyjący, zasmarkany i umazany łzami zmieszanymi z kurzem.

– Nowakowski go zamurował! Nowakowski go zamurował! – wykrztusił wśród szlochów. – Żywcem! Żywcem!

– Kogo?! – krzyknęła mama Żakowa.

– Mojego mysza! Mojego mysza! – wypłakiwał się Bobcio, nie dostrzegając nic prócz swego zmartwienia. – Zobaczcie! Zobaczcie! – powiedział, kładąc na stole bezwładne, miękkie ciałko z bezwłosym ogonkiem. – Na pewno umarł! Na pewno umarł!

Julia zupełnie nagle zrobiła się zielona.

– Weź to ze stołu – wyjęczała.

– Wujku, zrób sztuczne oddychanie! Wujku, zrób sztuczne oddychanie! – zawodził Bobcio.

Mysz leżała bez drgnienia wśród pięknej porcelany i apetycznych kawałków tortu orzechowego, a żonkile w kobaltowym wazonie skłaniały nad nią żałobnie swe anemiczne główki. Żaczek poważnie się przejął.

– Przynieś amoniaku – powiedział. – Spróbujemy ją ocucić. – Dotknął myszy palcem. – Jeszcze ciepła – rzekł w zadumie.

– Tato!!! – powiedziała Julia zduszonym głosem.

– Czy on umarł na serce? – płakał Bobcio.

– Nie mówi się „on", tylko „ona" – sprostowała machinalnie mama Żakowa.

– Dlaczego? – spytał Bobcio.

– Mamo!!! – powiedziała Julia zduszonym głosem. Ale było już za późno. Machina poszła w ruch.

– Bo mysz jest rodzaju żeńskiego – wyjaśniła mama.

– Każda? – zainteresował się Bobcio, a szlochanie cichło z wolna na jego popielatych od kurzu usteczkach.

– Każda. Nie mówi się „ten mysz", tylko „ta mysz".

– A samczyki też są rodzaju żeńskiego? – chciał wiedzieć Bobcio.

– A, samczyki. Samczyki nie.

– To bardzo ciekawe – stwierdził Bobcio, już całkiem spokojny i gotów do zadawania dalszych dogłębnych pytań.

Mysz poruszyła się na stole, a trochę żółtego piasku osypało się z jej futerka. Matka Tola siedziała jak zahipnotyzowana, wpatrując się w gmerające łapkami stworzonko takim wzrokiem, jak gdyby widziała bombę z opóźnionym zapłonem.

– Żyje! Żyje! – wrzasnął Bobcio. – Dajcie mu tortu, dajcie mu tortu! – rozpromieniony wpakował się przyjacielsko na kolana matki Tola i pokręciwszy tyłeczkiem, ulokował się tam wygodniej.

Wytworna dama siedziała sztywno, zaskoczona, lecz zawsze poprawna.

– Cóż za miły chłopczyna – zauważyła zza rozczochranej główki Bobka, starając się nie dotykać jego zakurzonej kurteczki.

– Zabierz-cie-tę-mysz – wyszeptała z trudem Julia, bliska omdlenia.

– A, rzeczywiście – zreflektowała się nagle mama Żakowa i pomagając sobie łyżeczką, nabrała mysz na talerzyk. – Żaczku, wynieś to biedne stworzonko. Serdecznie państwa przepraszam. Bobcio miewa takie niesmaczne pomysły.

– Ależ nic nie szkodzi – pospieszyli z zapewnieniem goście.

Mysz została wyniesiona. Cesia wywabiła Bobcia z kolan wspaniałej damy, nakładając wielki kawał tortu na talerzyk i stawiając tę przynętę na przeciwległym końcu stołu. Dziadek zręcznie nawiązał do La Bruyère'a, ojciec do kwantów, Julia powoli zaczynała odzyskiwać naturalne barwy. Mylili się jednak sądząc, że Bobek pozwoli się zapchać tortem. Przełknął kawał ciasta tak wielki, że oczy niemal mu wyszły z orbit, oblizał palce po kremie i zauważył:

– O, co ja widzę? Serwis Nowakowskiego!

– A torcik smaczny? – spazmatycznie krzyknęła mama Żakowa.

– Znakomity – pospieszyła matka Tolka.

– Znakomity, ekhe, ekhe.

– Poznałem po tych niebieskich rysuneczkach – pochwalił się Bobcio. – Ja to mam oko. Mama Nowakowskiego mówiła, że zapłacili za to w Desie...

– Bobek! – powiedziała Julia.

11

Mimo wszystko, była to jednak udana wizyta. Po okropnej gafie Bobcia nie mogło się już zdarzyć nic gorszego. Przeświadczenie to przyniosło rodzinie Żaków dominujące uczucie ulgi, co przejawiło się w raptownym przełamaniu lodów i ociepleniu atmosfery towarzyskiej. Druga część spotkania minęła bez zakłóceń na miłej pogawędce.

Okazało się, że rodziców Tolka w gruncie rzeczy zachwyca fakt, iż nareszcie znaleźli się w gronie ludzi o bratnich duszach, ludzi, z którymi można pokonwersować na niesłychanie ciekawy temat mechaniki kwantowej i jakości szkliw ceramicznych krajowej produkcji. Nie mówiąc już o zbieżnych zainteresowaniach dla luminarzy myśli francuskiej, które odkryli w sobie dziadek i ojciec Tola. Wprawdzie dziadek z właściwą mu szczerością zwichnął nieco szkielet owego porozumienia oświadczając, że o Pascalu nie może nic powiedzieć, ponieważ go jeszcze nie przerabiał – znajduje się wszakże dopiero przy literze „F" – sytuacja była już na tyle swojska, że oświadczenie owo przeszło nie zauważone.

Kiedy w końcu rodzice Tola podnieśli się ze swych miejsc, nikt już nie pamiętał o myszy i serwisie Nowakowskiego. Wizyta szczęśliwie dobiegła finału i po wymianie końcowych uprzejmości, zaproszeń i zapewnień o obopólnym szczęściu z poznania tak interesujących ludzi, biało malowane drzwi wejściowe zamknęły się wreszcie za Tolem i jego rodzicami.

– Nareszcie poszli – powiedział Żaczek i odetchnął z ulgą, opierając się bezwładnie o wieszak z płaszczami. I w tym momencie rozległo się lekkie stukanie do drzwi.

To ojciec Tola wrócił po swój parasol.

– Na pewno słyszał! – wyszeptała z rozpaczą Julia, kiedy Żaczek, tym razem przezorny, wyprowadził już gościa wraz z parasolem na schody i upewnił się, czy tamten aby na pewno sobie poszedł.

– Nic nie słyszał – mruknął Żaczek bez przekonania, zamykając szczelnie drzwi na zasuwę. – On jest nieco przygłuchy, sam widziałem.

– Co widziałeś, na litość boską?

– Że jest głuchy. Jak pień – powiedział Żaczek, robiąc minę księcia Walii. – W ogóle się tak nie przejmuj, kochanie, ci ludzie to parweniusze.

– On wcale nie jest głuchy jak pień! – oświadczyła Julia, błędnie przewracając oczami.

– Głuchy. Głuchy jak Beethoven. Na własne oczy widziałem, że używa specjalnej trąbki, przytykając ją do małżowiny usznej.

– Sam jesteś małżowina – warknęła Julia. – Oraz trąbka. Człowiek jest zdrów jak ryba i na pewno słyszał twoją nietaktowną uwagę. Boże wielki, dlaczego wy wszyscy jesteście tacy okropni?

– Julia, czy ten młodzianek chce się z tobą żenić? – spytał dziadek ciekawie.

– No, nie wiem, nie wiem – Julia oblała się różową łuną. – Nie wiem w ogóle nic.

– Na pewno chce – powiedziała mama z przekonaniem. – Inaczej po cóż by przyprowadzał tu swoich rodziców?

– On chce – rzekł Żaczek tonem Jeremiasza. – Ale pytanie, czy oni to zaakceptują.

Julia niespodziewanie zaczęła popłakiwać.

– To przez was! Przez was i tego potwornego Bobka!

– No, no, tylko nie potwornego – powiedziała z oburzeniem ciocia Wiesia, wyłaniając się z łazienki. – Ja tego określenia bardzo nie lubię.

– Ja uważam, że jest trafne.

– A ja nie!

Temperatura sporu wyraźnie wzrastała i Cesia postanowiła oddalić się od jądra zamieszania. Wziąwszy z kuchni kilka zimnych już placków ziemniaczanych od obiadu, poszła na wieżyczkę.

12

Oczywiście Danka leżała na materacu i pisała wiersze. Z adapteru płynęły dźwięki fletu i żadne symptomy nie wskazywały na to, by ktoś chciał się tu w ogóle uczyć.

Cesia podsunęła Dance placki ziemniaczane i sciszyła adapter.

– Danka! – powiedziała stanowczo. – Nadszedł czas, żebyśmy porozmawiały poważnie.

– Piszę – zaznaczyła Danka.

– Musisz się zdecydować na jakieś działanie.

– Nie przeszkadzaj.

– Uczyć się, niestety, trzeba i nie zmienisz tego faktu, choćbyś nie wiem jak chciała – ciągnęła Cesia, która postanowiła, że za nic nie da się zbić z tropu. – Czy ty nie masz ambicji?

– Nie mam. Piszę. Nie przeszkadzaj mi, do diabła!

Cesia wyłączyła adapter.

– Musisz mnie wysłuchać! Mam tego dość! – krzyknęła. – Traktujesz mnie jak przedmiot! Nawet nie raczysz na mnie spojrzeć!

Danka spojrzała na Cielęcinę, uśmiechając się kpiąco, i usiadła na materacu, odrzucając w tył swoje lśniące, brązowe włosy.

– No, to mów, mów, chociaż i tak wiem, co mi masz do powiedzenia.

Cesia stropiła się i milczała.

– No? – zachęciła ją Danka. – Ostatnio było o tym, że nie mam ambicji.

– No, właśnie. I nie masz poczucia przyzwoitości – rąbnęła Cesia. – Nie dostrzegasz nawet, że poświęcam ci mój czas. Chcę ci pomóc, ale przecież nie wbrew twojej woli! Jesteś tak potwornie leniwa, że nie mam już na ciebie sposobu!

– No, no...

– Powiedz, czy ty masz coś takiego jak poczucie godności? Czy nie czujesz się upokorzona, kiedy wobec całej klasy nazywają cię ciągle leniem? Przecież nie jesteś głupsza od innych, a nawet wprost przeciwnie...

Danka wstała nieco nerwowo i wygładziła spódniczkę.

– Słuchaj – powiedziała, zdejmując jakąś nitkę z rękawa zielonego sweterka. – Uzgodnijmy raz na zawsze, że nie mam ambicji, poczucia przyzwoitości, godności i że jestem leniem. Od razu lepiej nam się będzie żyło. Ty będziesz miała spokój, a ja będę mogła pisać bez przeszkód.

– Nic nie rozumiem. Czy ty chcesz zawalić rok? – Cesia jęknęła, łapiąc się za głowę.

– Wszystko mi jedno, w zasadzie – przyznała Danka. – Mam już za dużo zaległości.

– Przecież chcę ci pomóc!

– No, nie będziesz się chyba uczyć za mnie.

– Słuchaj – powiedziała Cesia. – Jeszcze jedno. Ja jestem za ciebie odpowiedzialna. Obiecałam Dmuchawcowi, że cię wyciągnę, i ja to muszę zrobić.

– Czego ty się przejmujesz tym dziadem? – zirytowała się Danka. – Nauczycieli trzeba traktować w specjalny sposób. To nie są normalni ludzie, tylko dozorcy.

– Ha! – oburzyła się Cesia. – I Dmuchawiec?!

– No, on może w mniejszym stopniu.

– Danusiu... – zaczęła znów Celestyna proszącym głosem. – Jesteś taka inteligentna, utalentowana, masz tyle zalet... Musisz pomyśleć o swojej przyszłości. Im prędzej skończysz szkołę, tym prędzej będziesz wolna! Będziesz na pewno wielką poetką. Ojciec Tola powiedział, że masz talent, a już on się zna na literaturze...

Danka uniosła głowę i zmarszczyła brwi.

– Co, co? Skąd on niby może coś wiedzieć o moim talencie?

– Pokazałam mu ten zeszyt... z twoim poematem... – Cesia chrząknęła.

– Z poematem „Alienacja"?! – spytała Danka blednąc.

– Tak, był zachwycony... – Cesia wyczuła, że Danka nie jest szczególnie rada nowinie i utknęła.

– Przynieś mi ten zeszyt powiedziała przyjaciółka martwym głosem. – I przy okazji oddaj mamie portmonetkę, jak wróciłam z tortem, to takie było zamieszanie...

– Danka, czy ty... się gniewasz? – spytała Cesia nieśmiało, czując, jak serce jej zamiera. Danusia siedziała bez drgnienia na materacu, plecy opierała o ścianę, a jej twarz nie miała żadnego wyrazu. – Przynieś zeszyt – powtórzyła.

Przestraszona swym uczynkiem Cesia pognała do salonu, gdzie przy talerzu z tortem leżał jeszcze zeszyt Danki, lecz, niestety, już nie w dziewiczym stanie. Korzystając z chwili, Bobcio namalował w nim akwarelowy czołg atakowany przez helikopter pełen ludzi. Cielęcina poczuła, że w gardle ma sucho, a w głowie pusto. Nie mogła w żaden sposób wyobrazić sobie momentu, kiedy jej przyjaciółka otworzy zeszyt z wymalowanym na najpiękniejszej części „Alienacji" czołgiem. Najchętniej odwlokłaby tę chwilę w nieskończoność. Póki co, postanowiła pójść do mamy.

13

Rodzice byli w swoim pokoju i Cesia, zajrzawszy tam, pozazdrościła im pogody ducha i miejsca do pracy. Mama, opasana jakąś płachtą, lepiła przy wielkim stole wyszukane gliniane cukierniczki w kształcie hipopotamów. Pokój przedzielony na pół zestawem szaf Kowalskiego oświetlały dwie identyczne lampy. Każda jednak połowa wyglądała inaczej. Wokół mamy panował chaos, na podłodze była glina, na stole był gips i glina, na krzesłach glina i gips, na półkach stały buteleczki i słoiki ze szkliwami, pędzle w słoikach i wyschnięta łodyga kukurydzy w butelce po winie. Mama była wesolutka i pełna zapału do pracy, jej ręce poruszały się szybko i sprawnie, a piękne usta nuciły jakąś tęskną melodię. Ojciec siedział w swoim kącie i na uszach miał słuchawki „Tonsil", pomagające przy dyskretnym oglądaniu telewizji. Tym razem jednak służyły mu one jako osłona przeciwdźwiękowa. Pracował i nie chciał słyszeć żadnych przeklętych kujawiaków. Schylony nad czystym stołem kreślił coś precyzyjnie na dużym arkuszu kalki. Jego książki stały na półkach równym szeregiem, przybory kreślarskie leżały w idealnym ładzie obok jego prawej ręki, a kwiatki w wazonie, choć ubogie, wyglądały świeżo i ładnie.
— Mamo — odezwała się Cesia.
— No, co? Patrz, córeczko, jaki śmieszny hipcio mi wyszedł.
— Fajny. Mamo, odnoszę ci portmonetkę.
— Jaką portmonetkę?
— No, tę portmonetkę. Co nie pamiętasz, że jej nie masz?
Mama roześmiała się.
— Nie pamiętam — zerknęła na Żaczka i z ulgą stwierdziła, że ma on na uszach dźwiękoszczelne słuchawki.

- Mamo – spytała Cesia, patrząc na nią z czułością. – Czy ty lubisz pieniądze?
- Ja? – zdziwiła się mama. – A bo co?
- Nic. Po prostu, nagle mnie zainteresowało, jaki masz do nich stosunek.
- Hm – zastanowiła się mama. – Powiedziałabym, że taki, jak do kogoś, za kim tęsknię, a kto mnie wyraźnie unika. A co, potrzebujesz forsy? Dużo nie mam.
- A wiesz, ile masz?
- A, nie wiem.
- Nigdy nie wiesz, co?
- Nigdy – przyznała się mama, parsknęła śmiechem i zaraz spłoszona spojrzała na Żaczka. – Tylko, broń cię Boże, nie wygadaj się przed ojcem! To moja poważna wada. No, nie mam do tego głowy. Jest tyle innych ciekawych rzeczy, o których lubię myśleć. Sądzę, że jeśli się pracuje ile sił i dostaje za to pieniądze, to już nie trzeba się kłopotać o to, ile dokładnie ich jest.
- Oj, biedroneczka z ciebie.
- A co, nie podoba się?
- Wręcz przeciwnie. Jesteś kobieta na medal.
- No, bardzo ci, moje dziecko, dziękuję – powiedziała mama, bardzo zadowolona. – Jak to miło znaleźć uznanie w oczach własnej córki.
- I hipcie robisz śliczne.
- No myślę. Mają wstrząsające powodzenie. Powinnaś je lubić, dzięki nim będziesz miała nowy sweterek.
- Serio?
- Li i jedynie. Co wy robicie z Danką na górze?
Na Cesię nagle spłynęło przypomnienie.
- Och. U... uczymy się – odparła, zastanawiając się dlaczego coraz więcej jest rzeczy, o których nie może powiedzieć rodzicom, mimo że stara się żyć uczciwie i zgodnie z ich wskazówkami.
Westchnęła głęboko.
- No, co tam, chandra? – spytała mama.
- E, nie. Tylko życie jest ciężkie.
- A cóż za banalne stwierdzenie – jęknęła mama z niesmakiem.
- Może sformułuj to bardziej odkrywczo.

– Ech, życie, życie – wygłosiła Celestyna.

– I w ogóle się tak nie przejmuj, moje dziecko. Wiesz, ile człowiek ma zmysłów?

– Eee.. no, pięć w zasadzie – powiedziała Cesia, przyszły lekarz.

– Sześć ma zmysłów. Ten szósty jest, kto wie, czy nie najbardziej potrzebny. To zmysł humoru. Im częściej się nim posługujesz, tym życie wydaje się łatwiejsze.

– Hmmm... – powiedziała Cesia z powątpiewaniem i poszła na wieżyczkę.

Zmysł humoru, dobre sobie.

No, na pewno mama przesadza. Czy może pomóc poczucie humoru, jeśli człowiek zranił czyjeś najwznioślejsze uczucia? Cesia weszła na schodki z wrażeniem, że jej serce waży tonę. Zatrzymała się na podeście przed drzwiami wieżyczki i nacisnęła klamkę.

Drzwi były zamknięte. Przez cienką deskę słychać było wyraźnie głośne szlochanie.

– Hej! Otwórz! – krzyknęła Cesia.

– Idź sobie! – dobiegło zza drzwi.

– Danka! No, nie wygłupiaj się. Musimy porozmawiać...

– Ja nie muszę! Idź sobie, rozmawiaj z tym facetem! Wiersze mu czytaj! O, Boże, mój Boże, co za ludzie na tym świecie!

– Danusiu... przebacz mi... ja naprawdę, naprawdę...

– Wszyscy pewnie słuchali, co? – chlipanie.

– Skąd! – żarliwie zaklinała się Cesia. – Nikt nawet nie zwrócił uwagi...

– Profani! – powiedziała Danka przez nos i użyła chusteczki.

– Co, co?

– Zresztą, nie wierzę ci. Na pewno przeczytali „Alienację" i teraz śmieją się ze mnie! – wybuch płaczu. – O, ja już stąd nie wyjdę! Jak ja się im teraz na oczy pokażę!

– Danka, zaklinam cię...

– Odejdź! Bawią swoich gości moją „Alienacją"!... Podli!

– Przecież nie będziesz tam siedzieć...

– Właśnie, że będę. Nie wyjdę stąd już nigdy – gwałtowne szlochanie. – Tutaj umrę, po co mam gdzieś wychodzić.

– O, Jezu – powiedziała Cesia i bezsilnie opadła na schodki. – Tego to bym się nie spodziewała, Danka, błagam cię, zrozum, że przesadzasz. Nikt już o twoim poemacie nie pamięta. Więc przestań się zgrywać i wyjdź.

– Ja się zgrywam?! - okrzyk zza drzwi był pełen oburzenia.

– Jak diabli – powiedziała Cesia ze złością.

Ale był to najgorszy sposób ratowania Danki, jaki w ogóle mogła wybrać.

– Jeszcze zobaczymy – oświadczyła zajadle dobrowolna więźniarka.

I od tej chwili za drzwiami zapadła uporczywa cisza.

14

Po półgodzinie bezpłodnych prób i bezskutecznych nawoływań Cesia opuściła stanowisko pod drzwiami wieżyczki i zbiegła na dół. Sytuacja dojrzała do tego, żeby prosić o pomoc familię.

Wszyscy siedzieli w dużym pokoju przy kolacji. Jak zwykle z okazji zgromadzenia członków rodziny w jednym miejscu, trwały pogaduszki i wygłupy. W pokoju panował beztroski gwar. Cesia przyjrzała się z niesmakiem niedbale nakrytemu stołowi i bałaganowi, który go otaczał.

– Potrzebuję pomocy – oznajmiła wchodząc w krąg światła.

– O, Cesia! – wesoło zawołała Krystyna, która siedziała obok Wojtka przy końcu wielkiego stołu. Młodzi małżonkowie uporczywie zachowywali pełną godności autonomię żywieniową i obecnie konsumowali chleb razowy z margaryną i żółtym serem.

– Cesia, chcesz kąpać malutką? – zawołała Krystyna.

– I am an engineer – dukała Julia, która miała nazajutrz kolokwium. Siedziała tyłem do stołu, opierając się plecami o jego krawędź, a jej wspaniałe nogi spoczywały na oparciu pobliskiego fotela. W jednej ręce artystka trzymała podręcznik, a w drugiej szklankę z herbatą.

– Siadaj, Cielęcino – powiedziała mama, nakładając na talerz kilka kanapek. – A gdzie Danka, już poszła?

– Danka siedzi na wieży – oświadczyła Celestyna z naciskiem. – Zamknęła się i nie chce wyjść.

– Coś podobnego. Z kiełbasą?

– Z jaką znów kiełbasą?!

– Zwyczajną – odparła mama. – Może też być z serem chudym białym lub z konserwą rybną pod tytułem „Szprotki w sosie helskim".

– Danka siedzi na wieży i nie chce wyjść! – krzyknęła Cesia.

– Już mówiłaś – mama spojrzała na nią z lekką urazą. – Czego tak krzyczysz, nie rozumiem, naprawdę.

– If it rains, I will stay at home – zapewniła Julia.

Bobcio karmił swoją mysz twarogiem.

– Ceśka, wiesz co? On już umie pić kakao, ten mój mysz.

– Ja poproszę z chudym białym – zażądał Żaczek z końca stołu.

– Co oni z tymi serami, panie tego. Ja to ze wszystkich łakoci najbardziej lubię...

– Boczek! – wrzasnął Bobcio triumfalnie.

– A figę, he, he, panie tego. Kiełbaskę.

– Ta kiełbasa to nie jest kiełbasa – wtrącił poważnie Wojtek, mąż Krystyny. – U nas na wsi to jest kiełbasa. A to tutaj to nie jest żadna kiełbasa.

– Pewnie – poparł go Żaczek.

– Jak moja matka zrobi kiełbasę, to słowo honoru, że to jest...

– Kiełbasa! – wrzasnął Bobcio radośnie.

– ...Kiełbasa. A to tutaj, przepraszam, to nie jest żadna kiełbasa.

– Ja bym się z tym nie zgodził, panie tego – podjął dyskusję dziadek.

– Kiełbasa zawsze jest kiełbasą.

– Też racja – zgodził się Wojtek konformistycznie.

– Danka! – wrzasnęła Cesia, waląc pięścią w stół. – Danka! Siedzi! Na! Wieży! I! Nie chce! Wyjść!

– No, to niech sobie siedzi – zgodził się ojciec. – Co, siłą ją będziesz ściągać na kolację? Może się biedactwo odchudza?

– Zanieś jej kilka kanapek na górę – poradziła mama.

– Otóż właśnie nie mogę! – krzyknęła Cesia, łamiąc dłonie. – Ona się zamknęła od wewnątrz i powiedziała, że już nigdy stamtąd nie wyjdzie!

– Poproszę teraz ze szprotkami – rzekł dziadek kapryśnie. – Znowu mi zjedli całą wędlinę.

– Ja mogę dokroić – zerwała się ciocia Wiesia.

– To niech tam siedzi, jak jej życia nie szkoda – machnął ręką Żaczek. – Zresztą, prędzej czy później, będzie musiała wyjść. Jedzenie, potrzeby fizjologiczne i nawyk higieny. Przydybie się ją koło łazienki i cześć pieśni.

– A co Dankę ugryzło? – zainteresowała się mama. – Ta dziewczyna ma bogate życie wewnętrzne, słowa daję.

– Wszystko jedno, co ją ugryzło. Ważne jest to, że ona postanowiła tam umrzeć.

– Ooo – powiedział Żaczek przeciągle i zapanowała ogólna cisza.

– Mówię wam, że sprawa jest poważna – dokończyła Cesia. – Musicie coś wymyślić.

– Ale co? – spytał Żaczek bezradnie. – Zresztą, czy to musi być zaraz? Jak już się zamknęła, to niech tam siedzi, a ja tymczasem dopiję moją herbatkę.

– Ona nie wyjdzie, mówię wam.

– Co znaczy: nie wyjdzie. W najgorszym wypadku zadzwonię po jej ojca i zobaczymy, czy nie wyjdzie.

– Swoją drogą, ciekawe byłoby poznać jej rodziców – wtrąciła mama. – Jakoś się nią mało interesują, co? Dziewczyna przesiaduje tu całymi dniami, wraca do domu po nocy, a nikt nigdy do nas nie dzwonił, żeby się o nią dowiedzieć.

– Bo nie wszystkie matki są takimi kokoszkami, jak... – zaczął Żaczek.

– Jak kto? – zainteresowała się mama.

– Martwię się Danką – powiedziała Cesia.

– No, to coś zjedz, Cielęcino – mama podsunęła córce talerzyk. – Na zmartwienie nie masz jak jedzenie.

– Kiedy ja naprawdę nie mam teraz do tego głowy. Tato, no chodź, ogadaj z nią.

– On byłby wykonał tę pracę, gdyby mu zapłacili – wkuwała beznamiętnie Julia. – W zdaniu warunkowym po „if" występuje Past Perfect. He would have come if she had invited him.

– Proszę, no, chodźcie na górę.

– Ona byłaby wyszła, gdyby nie była karmiona – oświadczył Żaczek sięgając po kanapkę. – Można by ją było wziąć głodem, powiadam wam.

– Nie, nie – zdenerwowała się Cesia. – Jednak wciąż jeszcze nie doceniacie Danki. To osoba różniąca się od was wszystkich, uduchowiona. Ona nie potrzebuje jeść.

– Coś podobnego.

– Jest idealistką. Nie je dla przyjemności, tylko się odżywia po to, by podtrzymać życie. Nie zapominajcie, że pisze wiersze – gorączkowała się Celestyna.

– Ja też kiedyś pisałam wiersze – przypomniała zebranym ciocia Wiesia. – Podobno nawet niezłe.

– I used to live in the country, do cholery – powiedziała Julia.

Wreszcie jednak ojciec ruszył się od stołu. Za nim oczywiście poszła mama, potem dołączył dziadek z Bobciem. Pochód zamykała Wiesia. Troje artystów zostało w jadalni.

Julia wkuwała, a Krystyna i Wojtek zajęli się przygotowaniem swego niemowlęcia do kąpieli.

– Można by wyważyć drzwi – zaproponował ojciec, kiedy po wielokrotnym nawoływaniu Danka nie dała znaku życia. Wszyscy spojrzeli na siebie z powątpiewaniem. Wyważyć drzwi?

Na podeście schodków było ciasno, duszno i mroczno. Ciemność rozjaśniał tylko nikły blask przebijający szparą pod drzwiami.

– Świeci się – zauważyła ciocia Wiesia. – To znaczy, że dziewczyna żyje.

– Nie rozumiem, jaki widzisz związek między jednym a drugim – sprzeciwił się Żaczek tonem poirytowanym. – Czy twoim zdaniem żarówka powinna samoczynnie gasnąć w obecności nieboszczyka?

– Jezus, Maria! – wystraszyła się mama.

– Wpuśćmy jej tam mysza – podsunął Bobcio. – Jak żyje, to zacznie kwiczeć. A jak nie zacznie kwiczeć, to znaczy, że nie żyje.

– Albo, że śpi – powiedział Żaczek.

– Albo, że nie widzi myszy, panie tego.

– Albo, że widzi mysz, ale się nie boi – dodała ciocia Wiesia.

– Albo, że się boi, ale nie chce tego okazać – zabawiał się Żaczek.

– Albo, że...

– Dosyć! – krzyknęła Cesia. – Danka, otwieraj, bo wywarzymy drzwi.

Przez chwilę panowała cisza. Potem coś się poruszyło za drzwiami. Cień przysłonił szparę, przez którą zaczęła powoli wysuwać kartkę. Cesia przykucnęła i przechylając arkusik tak, by padło na niego światło, odczytała głośno:

– Jeśli wyważycie drzwi, ja wyskoczę oknem!

– Nie wyskoczy – łudził się Żaczek.

– Wyskoczy. – Dziadek był pesymistą. – A poza tym, szkoda dobrych przedwojennych drzwi. Ja bym zadzwonił do jej rodziców, panie tego.

– Danka! – huknęła Cesia w dziurkę od klucza. – Zaraz zadzwonimy do twoich rodziców, co ty na to?

Znów chwila ciszy. Szmer, szelest – i w szparze pod drzwiami pojawiła się kolejna kartka.

„Rodzice wyjechali. Nigdzie nie dzwonić, bo wyskoczę".

15

Następnego ranka sytuacja nie poprawiła się ani o jotę. Rodziców Danki istotnie nie było w domu – w każdym razie nikt nie odbierał telefonu wieczorem, ani rano. Żakowie poszli spać i rano znaleźli ślady wskazujące na to, że Danka była w nocy w łazience. Najwidoczniej myła się, czesała grzebieniem Julii i wycierała się ręcznikiem dziadka – o czym świadczyły smugi tuszu do rzęs, ciągnące się przez połowę długości ręcznika. W kuchni brakowało wielu rzeczy, głównie jedzenia. Zapewne Danka postanowiła iść na całość.

Za drzwiami wieżyczki panowało znów to samo złowróżbne milczenie, lecz o godzinie siódmej trzydzieści odezwały się niespodziewanie rześkie tony skrzypiec Konstantego Kulki. To Danka włączyła adapter i upajała się koncertem „Le quattro stagioni" Vivaldiego. Wkrótce jednak uznała zapewne, iż optymizm późnego baroku nie najlepiej przystaje do jej aktualnego stanu ducha, bo nagle muzyka urwała się w połowie „Primavery" i po chwili z wieży popłynęły osowiałe głosy członków grupy „Locomotiv GT".

– Danka! – krzyknęła Cesia pod drzwiami. – Chodź do szkoły, proszę cię!

Na wieży rozległ się wybuch gorzkiego śmiechu. I to był jedyny osobisty sygnał dźwiękowy, jaki Danka uznała za celowe przekazać światu.

– Muszę z tobą porozmawiać! Otwórz! – prosiła Cesia.

Danka zwiększyła siłę głosu grupy „Locomotiv GT" tak, że aż ściany domu się zatrzęsły.

Wobec tego Cesia napisała list.

„Danka! Nie myśl, że nie wiem, dlaczego tam siedzisz. Nie chce ci się uczyć, to wszystko. Ale od życia nie można uciec na wagary. Jeżeli nie zjawisz się w szkole, napuszczę na ciebie Dmuchawca. Albo zrobię coś jeszcze gorszego. Twoja przyjaciółka Celestyna".

Wsunęła list pod drzwi i poszła do szkoły.

Była półprzytomna. Nie spała przez większą część nocy – po pierwsze, denerwowała się z powodu Danki, a następnie mała Irenka akurat tej nocy musiała przejrzeć podstęp z koperkiem włoskim i urządziła wielogodzinną awanturę domagając się mleka. Poza tym Bobcio, z którym Cesia zmuszona była spać tej nocy na jednym, jakże wąskim tapczanie, okropnie wierzgał przez sen i ustawicznie ściągał z niej kołdrę.

Nic więc dziwnego, że kiedy wyszła na zalaną słońcem ulicę, poczuła się oślepiona i w zmęczonych oczach stanęły jej łzy. Pachnący przymrozkiem wiatr niósł smugi suchego pyłu, na chodniku bielały zamarznięte kałuże. Cesia szła potykając się, mrużąc załzawione oczy i pociągając nosem. Gdzieś wewnątrz czuła zimną pustkę – mama naturalnie powiedziałaby, że to dlatego, iż nie zjadła śniadania – ale Cesia wiedziała, że pustka owa ma podłoże ściśle duchowe. Cielęcina czuła się winna zdrady. I nie miało tu nic do rzeczy przeświadczenie, że Danka nie marzy o niczym innym, jak tylko o szerokim rozpowszechnieniu swych utworów. Zapewne, nie każdy godzien był zaszczytu ich poznania. Zapewne, należało spytać, czy autorka nie ma nic przeciwko ojcu Tola. Zapewne, jakość audytorium nie była sprawą nieistotną. Nic jednak nie zmieniło w Cesi przekonania, że nadużyła zaufania przyjaciółki i dopuściła się zdrady. To nic, że miała najlepsze chęci – jeśli Danka odczuła jej czyn jako zdradę, to znaczy, że był on zdradą.

Ale to tylko jedna sprawa. Drugi problem to prawdziwy powód, dla którego Danka postanowiła nie opuszczać wieży. Nie chodziło o zdradę Cesi. W istocie Danka uciekła przed obowiązkami. I na to należało znaleźć jakieś lekarstwo.

Nawet nie zauważyła, że stoi na środku chodnika i mówi do siebie pod nosem. Dopiero rozchichotane dziewczynki z tornistrami, które przeszły pokazując sobie Cesię, uświadomiły jej, że zachowuje się dziwacznie.

Ruszyła ostro z miejsca pod wiatr, przeszła przez jezdnię i przed kioskiem „Ruchu" natknęła się na kogoś wysokiego, kto właśnie odchodził od okienka, zwijając w rulonik gazetę. Gazeta miała tytuł z dużych czerwonych liter i traktowała prawdopodobnie o sporcie – tyle zdołała Cesia dostrzec, nim nie podniosła oczu i nie ujrzała tuż przed sobą srogiego oblicza kolegi Jerzego Hajduka.

Stał bez ruchu, przyciskając do piersi gazetę. W jego posępnej twarzy jaśniały wąskie, niechętne oczy. Brwi mu się zbiegły nad nosem, zaciśnięte usta zbielały. Struchlała Cesia stała przed nim jak słupek, bojąc się nawet mrugnąć. Hajduk również nie mówił nic i nie ruszał się i tak stali naprzeciw siebie, twarzą w twarz, oboje zmieszani do granic wytrzymałości. Jak zwykle złośliwy los stykał ich w taki sposób, by spotkanie to wypadło możliwie najbardziej krępująco i niezręcznie. A ponieważ oboje byli nieśmiali i pełni skrupułów, los nie mógł mieć, doprawdy, łatwiejszego zadania.

Cesia ze wszystkich sił starała się nie spłonąć rumieńcem. Czuła go tuż, tuż, pod skórą, już się czaił w dole policzków, zaraz wybuchnie i wtedy Hajduk sobie pomyśli... no, wszystko jedno, co sobie pomyśli, na pewno to będzie coś okropnego... W „Filipince" było kiedyś o rumieńcach, że należy sobie mocno przygryźć palec lub wargę, żeby się nie zaczerwienić. Cesia wbiła sobie paznokcie w dłoń, podczas gdy jej myśli nadal pędziły w chaotycznym korowodzie.

O, rzeczywiście. Zdradzieckie gorąco odpływało powoli z policzków i szyi. Odczuła tak silną ulgę, że nie była w stanie przedsięwziąć już nic więcej i stała tylko bez ruchu – wpatrując się w Hajduka nieruchomymi oczami zahipnotyzowanego królika.

16

Od czasu, gdy Jerzy Hajduk postanowił na zawsze wyrzucić ze swych myśli Celestynę, która wykazała na lekcji wychowawczej tchórzostwo i oportunizm, minął miesiąc. W tym okresie, jakże krótkim biorąc obiektywnie, zmieścił Jerzy oczarowanie, rozczarowanie, przebaczenie i ponowny rozkwit ciepłych uczuć wobec Cesi. W dalszym ciągu oboje boczyli się na siebie. Urażona Cesia, która nie wybaczyła Jeremu jego grubiaństwa, oraz zazdrosny Jerzy, który zdołał już wyśledzić, że brodacz nachodzi dom Żaków co dzień, unikali się, nie patrzyli jedno na drugie, nie odzywali do siebie.

Jerzy zmusił się do zaniechania codziennego nałogu: nie chodził już ulicą Słowackiego i nie czekał na Cesię koło kiosku. W ogóle narzucił sobie twardą dyscyplinę. Wyjąwszy momenty, kiedy spotykał się z kolegami na meczu czy w kinie, zajmował swój umysł sprawami wyższego rzędu, głównie fizyką, którą studiował dla czystej przyjemności, oraz tajnikami konstrukcji telewizorów, które naprawiał dla pieniędzy. Jeżeli zdarzyło mu się myśleć o Celestynie częściej niż dwa razy na dobę, to czynił sobie wyrzuty i uważał się za wypranego z honoru mięczaka.

Zgodnie z tą linią postępowania, dziś też wcale nie zamierzał iść do szkoły ulicą Słowackiego. Ponieważ jednak zamyślił się głęboko („Feynmana wykłady z fizyki"), uszło jego uwadze, że nogi niosą go starą, ulubioną trasą.

Kiedy zobaczył Celestynę, speszył się tak niewiarygodnie, że aż mu się zakręciło w głowie. Następnie ogarnęła go złość, która szybko ustąpiła miejsca uczuciu bezmyślnego szczęścia. Cesia! Stała tu, przed nim, taka miła, bliska, droga, i jej twarz, znajoma w każdym szczególe, to różowiała, to bladła. Wystarczyłoby wyciągnąć rękę, żeby dotknąć puszystych włosów, piegowatego policzka, złotych szerokich brwi. Zielone oczy Cesi migotały jakby od łez i na ten widok Jerzego ogarnęła fala rozczulenia.

– Przepraszam – wydarło mu się spod serca. – Przepraszam.

Serce Cesi nagle podskoczyło i zatrzepotało.

– Ja... – powiedziała z trudem. – To ja.. Za co? – i w tej samej chwili przypomniała sobie, że miała przecież nie odezwać się do Hajduka nigdy w życiu, ponieważ on ją obraził.

Hajduk spojrzał na swoje buty i Cesia mogła na niego patrzeć bezkarnie: ciemna głowa z krótko przystrzyżonymi włosami, lekko zapadnięte policzki, duży, nieładny nos, twarde linie upartych szczęk. Jerzy podniósł głowę i Cesia drgnęła przyłapana. Ich oczy spotkały się na krótką, nieopisanie żenującą chwilę. Natychmiast potem on wbił spojrzenie w ziemię, ona zaś poczuła, że oblewa ją nieznośne gorąco, że czerwieni się jej twarz, szyja, dekolt i kto wie czy nie łokcie.

Jerzy zdobył się na odwagę.

– Wtedy – powiedział. – Wiesz... wtedy... zachowałem się po chamsku. Przepraszam.

Cesia wskrzesiła w pamięci tamto okropne przeżycie w mieszkaniu Hajduka i bez najmniejszego wysiłku udało się jej odpowiedzieć tonem bardzo oschłym:

– Ależ doprawdy, nie ma za co. Chyba za wielką wagę do tego przywiązujesz.

– Do czego? – spytał, nagle pochmurniejąc.

– Do... tej całej historii. Wcale się nie przejęłam...

– Płakałaś wtedy – powiedział Jerzy i spojrzał Cesi prosto w oczy, jakby zaglądał przez zamknięte okno.

– Ja?! – krzyknęła Celestyna, oblewając się rumieńcem. – Nic podobnego!

Hajduk jednakże wiedział swoje. Uśmiechnął się i nawet ośmielił się poprawić Cesi szalik. Tego już było za wiele! Dotknięta do żywego ogólnomęską zarozumiałością Celestyna odsunęła się, zmierzyła Hajduka wyniosłym spojrzeniem, które tak często trenowała przed lustrem (na wszelki wypadek...), i powiedziała oziębłe:

– Cześć, idę do szkoły.

Ruszyła z miejsca tak szybko, że w mgnieniu oka oddaliła się o dziesięć metrów i Jerzemu nie wypadało już jej gonić, zwłaszcza że poczuł się urażony. Więc tylko szedł za nią, jak zawsze, z tą wszakże różnicą, że tym razem Celestyna świetnie wiedziała o jego obecności za swoimi plecami i cierpiała prawdziwe męki na myśl o tym, że Hajduk zapewne patrzy na jej zbyt grube łydki i zaśmiewa się z ich powodu do utraty tchu.

17

Była już godzina dziewiąta. Poranny ruch na ulicy Słowackiego wzmógł się znacznie. Przed budynkiem Urzędu Wojewódzkiego zaczęły się gromadzić lśniące limuzyny. Z otwartych okien przedszkola płynęła pieśń zbiorowa o żabkach, z pobliskiej zajezdni tramwajowej dochodził odgłos walenia młotem. Interesanci Urzędu Wojewódzkiego zajeżdżali taksówkami lub sunęli grzecznym truchtem. Do kiosku „Ruchu" przywieziono „Sztandar Młodych" i dwa kartony mydła.

Dziadek stał przy otwartym oknie i palił fajkę. Patrzał sobie na świat boży i jednym uchem łowił mamrotanie Bobcia, podczas gdy drugie pełne miał ulicznej wrzawy.

Mieszkanie było puste, jak zazwyczaj o tej porze. Wiesia pracowała dziś na pierwszą zmianę, mama Żakowa była w Pałacu Kultury, Żaczek w Cegielskim, a młodzież ucząca się – na swoich zajęciach. Nawet malutka Irenka została wywieziona na spacer w wózku pełnym zapasowych pieluch i butelek z mieszanką mleczną. Po spacerze, jak co dzień, czekało Irenkę kilka godzin snu w pracowni grafiki użytkowej na I piętrze gmachu PWSSP, gdzie koledzy Krystyny zajmowali się małą niezwykle czule, skrzętnie ukrywając fakt jej obecności przed adiunktem i resztą ciała profesorskiego.

Dziadek i Bobcio byli w domu sami, jeśli nie liczyć zamkniętej na wieżyczce Danuty, która uporczywie odtwarzała tam z adapteru utwory grupy „Abba". Bobcio we wrześniu nie został przyjęty do przedszkola z powodu braku miejsc, a także braku sprytu życiowego swojej rodzicielki, przebywał zatem z dziadkiem w godzinach przedpołudniowych, kiedy Wiesia pracowała na pierwszej zmianie. Obaj bardzo lubili te spokojne godziny, pełne rozmów i lektury, kiedy nie trzeba było złościć się, słuchać krzyżujących się okrzyków i podporządkowywać się sprzecznym decyzjom. Bobcio stawał się w towarzystwie dziadka cichym myślicielem, chłonącym jak gąbka wszystkie mądrości.

Dziś nastrój ów został zakłócony rytmiczną muzyką dudniącą na wieży. Dziadek był nieco zirytowany. Bobcio nie. Siedział na dywanie w jadalni, skrzyżowawszy nóżki w czerwonych rajstopkach, i czytał dwutygodnik „Miś". Ku zdumieniu rodziny Bobcio nauczył się czytać nie wiadomo kiedy i jak. Pewnego dnia po prostu usiadł i sylabizując przeczytał nagłówek z „Głosu Wielkopolski": „Budowlani rozumieją społeczną wagę swego zawodu". Od tego momentu czytał coraz lepiej.

— Dziadziu — spytał teraz, odrywając wzrok od kolorowej stronicy gazetki. — Tu jest wierszyk o czterech misiach. Dlaczego na obrazku są tylko dwa?

Dziadek pyknął z fajki.

— Zapewne ze względów oszczędnościowych — odparł.

— Zauważyłem to nie po raz pierwszy — rzekł Bobcio tonem starca. — Gdzie są te wszystkie zwierzątka? Jest napisane, że są, a przecież ich nie widać.

— Dowiesz się, jak trochę podrośniesz. A może nie dowiesz się nigdy, panie tego. Ja na przykład mogę się tylko domyślać, gdzie się to wszystko podziewa. — Dziadek zachichotał głucho.

— No, gdzie? — zainteresował się Bobcio.

— Powiem ci, jak skończysz piętnaście lat — obiecał dziadek.

Bobcio uspokojony, kiwnął główką i pogrążył się w lekturze. Grupie „Abba" raptownie odebrano głos. Mieszkanie Żaków zaczął spowijać nastrój łagodnej zadumy.

— O, albo ten — powiedział Bobcio przewracając stroniczkę. — Udaje, że jest Zorrem, a tak naprawdę — to Kwapiszon.

— Tak, tak — dziadek zamknął okno i odwrócił się do wnuka. — Znam wielu takich. W gruncie rzeczy większość Zorrów to Kwapiszony.

Bobcio westchnął ze smutkiem.

— Zauważyłem, że na świecie jest dużo kłamstwa. Dlaczego ludzie kłamią, dziadziu?

— A dlaczego ty, chłopcze, kłamiesz, choć przyznaję, rzadko?

— Ja kłamię, bo wy mi na nic nie pozwalacie.

— Ludzie kłamią z tego samego powodu. No i ze strachu. Z chęci zysku. Czasem dla zabawy. I z wielu innych powodów, o których opowiem ci, jak dorośniesz. Wiesz, chciałbym, żebyś nigdy nie kłamał.

— Dobrze, nie będę — obiecał Bobcio poważnie.

— Jeśli będziesz zawsze mówił prawdę, w najgorszym razie czeka cię klaps albo pozbawią cię deseru. A kłamstwo jest lepkie, nie sposób się go pozbyć, brudzi wszystko wokół i brudzi twoje sumienie.

— U, paskuda — powiedział Bobcio i fiknął koziołka na dywanie.

— Już nie czytasz?

160

– Misie mi się znudziły. Co robimy, dziadziu?

– Posprzątajmy trochę.

– E, nie, to nudne. Ceśka posprząta. Opowiedz mi, jak budowałeś elektrownię.

Na wieży rozległ się łoskot, jakby ktoś przewrócił stołek. W chwilę potem dał się słyszeć daleki stuk otwieranych drzwi.

Dziadek zerwał się z miejsca i pobiegł na korytarz. Trafiała się okazja przydybania Danki i należało to wykorzystać.

Stanął za drzwiami wiodącymi na strych i stłumił oddech. Był przygotowany na najgorsze, z pościgiem włącznie.

Okazało się jednak, że niepotrzebnie; Danka wyszła na korytarz ubrana, z teczką w ręce i ujrzawszy dziadka przytajonego za drzwiami oznajmiła:

– Przebaczyłam wam. Wracam do szkoły.

18

Dzień był jakiś szary i przytłumiony. Dmuchawca bolało serce, jak zwykle na przedwiośniu. W klasie było duszno, ciemnawo i nauczyciel polecił dyżurnej otworzyć okno i zapalić światło. Dzieciaki siedziały otępiałe i gnuśne. Hajduk czytał coś pod ławką, blondyneczka w ostatnim rzędzie niemal spała, opierając kiwającą się głowę na złożonych rękach. Żakówna, jedyna w całej klasie, zdradzała objawy napięcia i zdenerwowania. Kręciła się niespokojnie w ławce i co chwila rzucała spojrzenie ku drzwiom.

Dmuchawiec westchnął.

– Wszyscy obecni? – spytał tradycyjnie.

Chwila ciszy.

– N-nie ma Danusi... – powiedziała wreszcie Żakówna, wstając i splatając ręce. – Ona... się trochę spóźni.

– Skąd ta pewność? – spytał Dmuchawiec dosyć oschle. Irytujący był ten dzień, irytująca ospała klasa, irytująca Żakówna ze swoją pensjonarską minką i naiwnymi wybiegami. – Nie ma jej, to nie ma. Wpisuję nieobecność – spojrzał na zrozpaczoną Celestynę i mruknął ze złością. – Co ona, chora? – spytał. – Poszła do lekarza? No, mów, widzę przecież, że coś wiesz.

– Nic nie wiem – jęknęła Cesia. Przed oczami jej duszy pojawił się obraz przyjaciółki, wyciągniętej leniwie na materacu, słuchającej muzyki z płyt i pojadającej suszone śliwki, które ściągnęła z kuchni w dużej ilości.

– Wpływ formantów na zabarwienie uczuciowe wyrazów – powiedział Dmuchawiec głosem chorego borsuka. – Oto frapujący temat naszej dziesiejszej lekcji. – Pomyślał z westchnieniem, że wbijanie w te senne głowy wiedzy o formantach będzie wymagało od niego samozaparcia i poświęcenia. A tymczasem serce bolało go coraz bardziej.

– Kolego Hajduk, jak tam stan naszej kadry? – spytał kąśliwie, obserwując, jak jego uczeń usiłuje niepostrzeżenie odwrócić stronicę w czasopiśmie „Sportowiec". – Chciałbym wiedzieć, dlaczego uważasz, że masz prawo zachowywać się obelżywie?

Czerwony jak burak Hajduk wcisnął „Sportowca" do teczki, morderczym wzrokiem patrząc w stronę sufitu.

– A więc nic nie wiadomo o Filipiakównie? – ciągnął Dmuchawiec krzywiąc twarz w tłumionej irytacji.

Żakówna zrobiła bezradne oczy, a sąsiad Hajduka, Pawełek, podniósł się gwałtownie.

– Chyba coś się z nią stało – powiedział niespokojnie. – Jej rodzice wyjechali, dzwoniłem wczoraj cały dzień i nawet w nocy – nie było jej.

– Może zatruła się tlenkiem węgla? – powiedział z przejęciem grubasek z pierwszej ławki, który najwyraźniej chciał odwlec moment rozpoczęcia wykładu o formantach. – Nasza dozorczyni, biedaczka, właśnie w tych dniach rozpalała w kotle centralnego ogrzewania, no i zasnęła.

W klasie dało się wyczuć wyraźne zainteresowanie, które próżno Dmuchawiec starałby się wzniecić opowiadaniem o czasownikach.

– I co, i co? – odezwały się głosy.

– Już jej nie ma wśród nas – powiedział grubasek boleśnie.

– Ona śpi, a czad się ulatnia, rozumiecie. Nawet nie zauważyła, jak odeszła spośród żywych.

Drzwi klasy otworzyły się gwałtownie, jakby je ktoś kopnął. Oczy wszystkich skierowały się na stojącą w progu Dankę Filipiak, wyspaną i w dobrym humorze. Poprawiając sobie lśniącą grzywkę Danka przeszła przed frontem klasy i stanęła obok Celestyny.

– Słucham cię, moje dziecko – wybąkał Dmuchawiec, nieco zaskoczony tym wspaniałym wejściem. – Czyżbyś zaspała?

162

– Nie – odparło dziewczę i umilkło na dobre.

– No, a dlaczego się spóźniłaś? – badał nauczyciel, myśląc jednocześnie, że dałby dużo, żeby móc teraz znaleźć się na plaży w Świnoujściu. I żeby były wakacje, pełnia lata, zaprawiona słodkim smakiem świadomości, iż zobaczy się drogich uczniów dopiero za dwa miesiące.

Filipiakówna stała wciąż bez ruchu, jak blady posąg marmurowy z gapiowato otwartymi ustami.

– Nazywała się Niespodziana, Cecylia Niespodziana – powiedział grubasek tonem elegijnym.

Dmuchawiec poczuł, że jeszcze chwila, a wybuchnie nieposkromioną wściekłością. Zdecydowanie wolałby tego uniknąć.

– A więc dobrze – warknął. – Sami się pchacie pod nóż. Zaczynam pytać, i to ostro. O co zakład, że poleci parę głów?

19

– Znowu faja, czyli łabędź – powiedziała Danka, jedząc śniadanie Celestyny. – On się po prostu na mnie mścił, Jezus Mario, co to za człowiek złośliwy.

Celestyna w milczeniu załamała ręce. Czyżby Danka naprawdę uważała, że umiała cokolwiek?

– Może chcesz kawałek? – zaproponowała przyjciółka uprzejmie, częstując Cesię jej własnymi kanapkami. – Nie chcesz? No, to mi się udało, byłam już wściekle głodna na tej wieży.

Na rozkrzyczany korytarz wyszedł Jerzy Hajduk. Oczywiście spojrzał na Cesię właśnie w tej samej chwili, kiedy ona ukradkiem zerkała na niego. Oczywiście ona, zamiast na przykład uśmiechnąć się do niego uprzejmie a zdawkowo, gwałtownie odwróciła wzrok, oblewając się rumieńcem. Hajduk, zamiast odwrócić wzrok, zagapił się na Cesię z mimowolną czułością.

– A ten Hajduk całkiem przystojny – zrobiła odkrycie Danka. – Dlaczego mi się zawsze wydawało, że on jest brzydki? Ty, Ceśka, czy on się w kimś kocha?

– Nie mam pojęcia – powiedziała Cesia jadowitym głosem, którego brzmienie zdziwiło nawet ją samą.

– Pewnie, Pawełek jest śliczny. Ale jakiś nijaki. A w tym Hajduku to można się zakochać na śmierć.

– Tak? – spytała Cesia dosyć sucho. Hajduk szedł przez korytarz jakby w ich stronę, widziała to przez spuszczone rzęsy. – Chodźmy do toalety, napiję się wody – powiedziała i pociągnąwszy przyjaciółkę za rękę, oddaliła się wraz z nią z niebezpiecznej strefy.

20

Cesia bała się okropnie, że Hajduk będzie na nią czekał po lekcjach i kiedy w szatni Danka wdała się w długą i cichą rozmowę z Pawełkiem, a następnie oświadczyła, że dziś z nim wraca – Cesia omal nie uciekła z powrotem do klasy. Na szczęście Hajduk ubrał się i wyszedł nie patrząc na nikogo. Być może zamierzał poczekać na nią na ulicy, a może w ogóle nie chciał z nią rozmawiać i wszystko to tylko się jej zdawało? Nawet na nią nie spojrzał wychodząc. „Wspaniale" – pomyślała Cesia, przysięgając sobie w duchu, że pogodzi się z brodaczem zaraz, dziś, kiedy tylko on przyjdzie do Julii. Pogodzi się z nim i będą znów chodzili do kina, jak wtedy, kiedy Hajduk stał w hallu i widział czułości brodacza.

– Celestyna! – powiedział ktoś obok i Cesia drgnęła. Palce jej nagle zesztywniały tak, że nie mogła zapiąć płaszcza. Ale ten ktoś to był tylko Dmuchawiec, odziany w bure palto i dziwną czapeczkę. – Wyjdźmy razem – zaproponował. – Chciałbym z tobą porozmawiać.

– Aha. Dobrze – powiedziała Cesia trochę nieprzytomnie i jej palce znów odzyskały sprawność. Zapięła płaszcz, naciągnęła na uszy wełnianą czapkę i podniosła teczkę. – Możemy iść, panie profesorze.

Przed szkołą, oczywiście, nie było Hajduka. Danka i Paweł oddalali się w stronę miasta, objęci i zagadani.

– Słuchaj, moje dziecko – przemówił Dmuchawiec. – Chciałbym pomówić o twojej przyjaciółce.

– O Dance?

– O Dance. Co o niej sądzisz?

Cesia ulitowała się w duchu nad Dmuchawcową naiwnością. Wszyscy nauczyciele są jednak podobni. No, co on sobie myśli, że będzie się przed nim wyżalała i oskarżała przyjaciółkę?

– Danka to wspaniała dziewczyna – odparła. – Ona jeszcze nas wszystkich zadziwi. Pisze wiersze.

– Och, och! – zdziwił się Dmuchawiec. – Popatrz, popatrz. Czy to jest jej główna zaleta?

– Jest bardzo mądra – ciągnęła Celestyna. – Właściwie, wszystkie jej kłopoty z tego się biorą.

– Że jest taka mądra? – upewnił się Dmuchawiec.

– No właśnie. Ona się po prostu męczy w szkole.

Dmuchawiec uśmiechnął się pod nosem i jakiś czas szli w milczeniu. Nauczyciel zastanawiał się, czy naiwność Celestyny Żak jest jej cechą wrodzoną, czy też może efektem tak często przez uczniów stosowanej zasady zasłony dymnej. Szczerze mówiąc, znał ciekawsze zajęcia niż prowadzenie podobnych rozmów z ledwie od ziemi odrosłymi panienkami. Sumienie jednakże mówiło mu wyraźnie, że nie był dziś idealnym pedagogiem.

Postanowił wcielić się w tę wyimaginowaną postać najlepiej, jak umiał.

– Uważam, że twoja Danka jest szczególnie obrzydliwym typem lenia – oświadczył. – Lecz nie bylibyśmy warci grosza, gdybyśmy nie spróbowali jej pomóc, ty i ja.

– Zamiast jej pomóc – krzyknęła Cesia – to pan ją obmawia!

– Chcę jej pomóc, słowo idealnego pedagoga – zaklinał się Dmuchawiec, z sympatią patrząc na jej zagniewaną twarz koloru buraka. – Tylko po prostu nie wiem jak. I chciałbym zasięgnąć rady u ciebie.

Cesia milczała zaciekle, rzucając Dmuchawcowi nieufne spojrzenia. Powiedzieć w tej sytuacji, że sama nie wie, od której strony podejść Dankę, znaczyło tyle, co zdradzić. Zaś problem zdrady ostatnio stał się wyjątkowo wrażliwym i zapalnym punktem w świadomości Celestyny.

– Rozmawiałem z nią na przerwie – powiedział nauczyciel. – Ale trudno mi było wydobyć z niej cokolwiek, ponieważ założyła z góry, że jestem jej zaciekłym wrogiem. Oświadczyła, że to nie jej wina, że urodziła się bez silnej woli. No, a potem zamilkła nieodwołalnie.

– Tak – przyznała Cesia ze zmartwieniem. – Ona wciąż to powtarza. Trudno jej wbić do głowy, że wszystko zależy od niej samej.

– Że wszystko zależy od niej samej... – powtórzył Dmuchawiec. – Nie wiem, czy nie mylisz się cokolwiek... A jak tam u niej w domu?

– Nigdy tam nie byłam.

– Dlaczego?

– Znamy się dosyć krótko... Nigdy mnie nie zapraszała. Zawsze uczymy się u mnie.

– Pójdę tam jutro – oświadczył Dmuchawiec. – Pogadam sobie z jej rodzicami i zapoznam się z sytuacją.

Przeszli przez jezdnię koło zoo.

– Cieplej się zrobiło, co? – mruknął Dmuchawiec i rozluźnił węzeł szalika. Bezlistne drzewa stały w nieruchomych ażurowych kępach. Hajduka, oczywiście, nigdzie nie było widać. „Sprawa jasna – pomyślała Celestyna. – Dlaczego miałby się włóczyć po ulicach, zamiast iść na obiad? Swoją drogą ciekawe, gdzie on jada obiady. I czy w ogóle ktoś dba o to, żeby je jadał?"

– Mam do ciebie dużą prośbę – mówił Dmuchawiec, zręcznie wymijając rozmiękłe w słońcu bajorko błota i wpadając w następne. – Chciałbym, żebyś była wierną przyjaciółką. Nie obrażaj się o głupstwa, zwyczajem panienek, i nie zrywaj przyjaźni z byle powodu. Bądź cierpliwa i wytrwała, zwłaszcza jeśli uważasz, że Danka jest naprawdę dobrym człowiekiem. No, powiedzmy, raczej materiałem na człowieka. Rozumiesz, musisz zdać sobie sprawę, że jeśli już nie jesteś, to powinnaś stać się dla swojej przyjaciółki podporą i wzorem do naśladowania.

– Ja?! Ależ skąd! – krzyknęła zdumiona Celestyna.

– I wzorem, powtarzam, a wiem, co mówię. Pamiętaj, Celestyno, że liczę na ciebie.

21

Przed domem Cesi Dmuchawiec zatrzymał się i pożegnał swoją uczennicę z sympatią i galanterią. Uścisnął jej dłoń, popatrzał w lewo i przeszedł przez jezdnię, mrucząc coś pod nosem. Był bardzo zadowolony z przebiegu rozmowy.

Cesia mniej. W gruncie rzeczy była nawet nieco zirytowana. Odnosiła niemiłe wrażenie, że na jej plecy wrzucono dodatkowy tobołek, i to nie pytając wcale o jej zgodę. Gnębiło ją też przeczucie, że nie sprosta temu nowemu zadaniu i z całą pewnością nie potrafi przekonać Danki, by doskonaliła swój charakter z pasją oddając się nauce.

Stała w bramie przed skrzynką na listy i bezmyślnie wpatrywała się w szufladkę z numerem swego mieszkania. Do końca roku zostało około trzech miesięcy. Jaki cudotwórca zdołałby w tak krótkim okresie nakłonić upartą Danutę do zmiany filozofii życiowej i naprawienia wszystkich błędów? Nie mówiąc już o tym, że czasu było stanowczo za mało, by uzupełnić w głowie przyjaciółki wszystkie luki edukacyjne. Danka miała straszne zaległości w nauce, o czym Celestyna wiedziała najlepiej.

„Potrzebne jest jakieś radykalne cięcie" – pomyślała Cesia, mijając rzeźbioną w drewnie głowę lwa, wieńczącą poręcz schodów. Przyszło jej też do głowy, że rozstała się z Dmuchawcem nie wypowiedziawszy wszystkich swoich zastrzeżeń co do jego planu. A trzeba było! Może się przecież zdarzyć – a właściwie stanie się tak na pewno – że nie uda się przekonać Danki i zadanie, które przed Cesią postawił Dmuchawiec, zakończy się żałosnym fiaskiem.

„Jak mogłam zgodzić się na wszystko i nawet nie próbować się zaasekurować? – pomyślała gniewnie Cesia i już na zapas zaczęło ją gnębić uczucie, że zawiodła. – Trzeba było powiedzieć, że Danka nie ma zamiaru się uczyć, że jest leniwa i uparta i że nie mogę dać za nią żadnej gwarancji". No, tak, ale to by znaczyło, że Celestyna donosi na nią. Poza tym wszelkie asekurowanie się było w mniemaniu Cesi czynnością odrażającą i żadną miarą nie mieściło się w jej pojęciu uczciwości.

Weszła na schody z uczuciem ciężaru na duszy i swędzenia pod powieką. Jak zwykle od słońca łzawiły jej oczy i właśnie w prawym tusz z rzęs spłynął na gałkę oczną. Ogarnęła ją złość, lecz w następnej chwili uczcia te uległy niespodziewanej odmianie. Serce Cesi uderzyło nagłą radością i równie gwałtownym strachem; na półpiętrze, usadowiony na parapecie okna, znajdował się Jerzy Hajduk. Przygryzając dolną wargę, patrzył na Celestynę nieodgadnionym wzrokiem.

Stanęła nieruchomo, drętwiejąc z wrażenia. Oczywiście, nie mogła się odezwać ani słowem. Płomienny rumieniec wylał się na jej policzki i szyję, a w głowie kołatała się jedna tylko myśl: „rozmazało mi się oko, rozmazało mi się oko, rozmazało mi się oko".

Jerzy Hajduk nie tylko nie dostrzegł, iż rozmazało się jej oko, ale właśnie w tej chwili doszedł do przekonania, że Cesia jest najpiękniejszą istotą na całym ziemskim globie. Zarumieniona, wylękniona, z migocącymi zielonymi oczami i wysypującą się spod czapki jasną czupryną, z białymi zębami w różowych ustach wyglądała jak zjawisko. Gdyby miał w tej chwili postępować zgodnie z tym, co czuł, powinien był podejść do Cesi, wziąć ją w ramiona i pocałować do utraty tchu.

– Cześć – powiedział zamiast tego. – Gdzie byłaś tak długo?

Cesia, która do tej chwili miała uczucie, że znajduje się na chwiejnym balonie stratosferycznym, z niesłychaną ulgą poczuła, że ma pod nogami w miarę stały grunt.

– Dmuchawiec się do mnie przyczepił – wyjaśniła. – Chodziło o Dankę. – Było to już podobne do normalnej koleżeńskiej rozmowy i oboje poczuli ulgę.

– Może usiądziesz? – zaproponował Jerzy nieco, jak się Cesi wydało, aroganckim tonem. Postanowiła jednak nie zwracać na to uwagi, przynajmniej chwilowo, póki się nie wyjaśni cel jego wizyty. Usiadła na parapecie obok niego. Jerzy chrząknął i odsunął się w głąb wnęki okiennej. Cesia wygładziła spódniczkę na kolanach, po czym spojrzeli na siebie i nagle znowu nie było o czym mówić. Ich spojrzenia odskoczyły w bok pełne paniki.

Pani Nowakowska ciężko wchodziła na górę. Mijając półpiętro przyjrzała im się z ciekawością. Nie mogło się to przyczynić do ocieplenia atmosfery. Cesia od niechcenia odsunęła się od Hajduka najdalej, jak to było możliwe, i wcisnęła się w drugi kąt wnęki. „Wyglądamy jak dwa wystraszone gawrony" – podszepnęło jej poczucie humoru.

„Dlaczego ona się śmieje?" – przemknęła tymczasem przez głowę Jerzego wylękła myśl.

Równocześnie, jak kukiełki pociągnięte tym samym sznurkiem, odwrócili się ku sobie, otwierając usta:

– Czy ty się... – powiedzieli jednocześnie i urwali speszeni. Ich dłonie spoczywające na parapecie zetknęły się palcami, lecz żadne z nich nie cofnęło ręki.

– Co chciałaś powiedzieć?

– N-nie, n-nic...

– A ja chciałem spytać, czy się jeszcze gniewasz.

– Hm, no więc... ja też... o to...

– To jak? Gniewasz się?

– N-nie – powiedziała Cesia. – A ty?

Nie wiadomo jakim sposobem jego palce nagle przykryły Cesine.

– O co mógłbym się gniewać na ciebie...

– Och. N-nie wiem... – powiedziała Cesia zamierającym głosem. Od palców Jerzego szło jakieś zagadkowe ciepło.

– Co to jest? Muszę cię ciągle widzieć... nie wiem dlaczego – szepnął Jerzy i zmarszczył brwi, żeby ukryć wzruszenie.

W ciszy tak głębokiej, że słychać było brzęczenie muchy na szybie, rozległ się jakiś głuchy, miarowy łomot. Cesia usiłowała pojąć, co to za dźwięk, aż wreszcie dotarło do niej, że to walenie jej własnego serca.

– Ja też... – szepnęła, sama nie słysząc swojego głosu.

Ale Hajduk usłyszał. Cesia nigdy nie przypuszczała, że zobaczy na jego twarzy wyraz takiej radości.

– On ma rację – powiedział patrząc jej w oczy. – Świat naprawdę jest piękny i pełen harmonii.

– Kto ma rację?

– Feynman.

– Ten od kwantów i kwarków?

– O Boże! – wykrzyknął Jerzy i poderwał się wypuszczając jej dłoń. – Ty naprawdę wiesz, kto to jest Feynman?

– No, oczywiście – odparła Cesia, błogosławiąc monologi swego ojca i jednocześnie skręcając się ze wstydu za swoją ignorancję. – Richard Feynman, laureat Nobla za pracę nad podstawami elektrodynamiki kwantowej. – Niestety, było to już wszystko, co wiedziała. Na Jerzym zrobiło to wrażenie trudne do opisania.

– Jesteś naprawdę niezwykła. Wiedziałem to od pierwszej chwili.

Cesia zdała sobie sprawę, że jeśli chce zachować choć gram szacunku dla samej siebie, już dzisiaj powinna zająć się studiowaniem podstaw elektrodynamiki kwantowej.

– Gdzie pójdziesz po szkole? – spytał Jerzy.

– Na medycynę.

– A ja na fizykę. Albo na astronomię. Jeszcze się nie zdecydowałem. Wiesz, wszystko mnie ciekawi.

– Tak.

– Ja jeszcze... – powiedział – chcę ci podziękować.

– Za co?

– Wiesz za co – szepnął. – Za wszystko, po prostu za wszystko.

Znów zapanowało milczenie, które Cesia już nauczyła się rozpoznawać. Ale nie było teraz męczące i przykre. Przeciwnie, wydawało się pełne nieśmiałej radości.

– Za to, że jesteś – szepnął Jerzy, patrząc na Celestynę szczęśliwymi oczami.

– Ja...

– Gniewasz się jeszcze? O tamto, wiesz?

– Nie. Już dawno nie.

– Nie gniewaj się już nigdy – poprosił. I w jednej chwili zrobił się ponury, jakby zgasło w nim jakieś światło. – A jak się miewa tamten typ?

– Kto?! – Cesia wyprostowała się gwałtownie.

– Ten, z którym... z którym... – męczył się Jerzy.

– Ja nigdy nie... ja go nigdy... – wyjąkała Cesia. – Ja nie widuję się z nim od dawna – dokończyła.

Ale nagle jakoś wszystko poszarzało. Jerzy siedział z opuszczoną głową i wydawał się bardzo daleki. Nie odzywał się, pogwizdywał przez zęby. W Cesi narastało poczucie winy. Było tak, jakby wyrosła między nimi gruba, szklana przegroda. Nie sposób było powrócić do poprzedniego nastroju.

Nagle Cesię ogarnął bunt. Siedzi tu jak winowajczyni. O, nie. Znalazł się Katon, patrzcie go. Zerwała się.

– Muszę iść do domu, już późno – oświadczyła. Nie będzie się przed nim tłumaczyła z brodacza. O, nie. To jej sprawa. Jej życie, jej błędy, jej własny rachunek ze sobą. A jemu co do tego? Ta mina! Dokładnie widać, co ma na myśli. To nie do zniesienia, obraźliwe... – To cię nie powinno w ogóle interesować! – krzyknęła zdławionym głosem.

Zrozumiał to jakoś po swojemu. Zbladł tak, że aż pobielały mu usta.

– Ach tak? – spytał, zrywając się z parapetu.

– Właśnie tak! Jakim prawem?!... Jesteś zarozumiały, apo...apodyktyczny, a ja mogę robić, co mi się podoba, rozumiesz?

– Bardzo dobrze. Możesz się jeszcze z nim umówić.

– Oczywiście, że mogę! – krzyknęła Cesia, czując w piersiach okropny ból. – A tobie co do tego?

Spojrzał na nią szybko.

– Do widzenia – powiedział. – Żegnaj – i zbiegł po schodach nie obejrzawszy się ani razu.

V

1

Od pierwszych dni kwietnia nastąpiła wiosna. Niespokojne niebo, coraz ostrzejszy blask słońca, coraz cieplejszy wiatr. Pod oknami domu przy ulicy Słowackiego stary wiąz wygrzewał w słońcu swoje nowe pąki. Na balkon zaczęły zlatywać wiosenne ptaki, a któregoś dnia nawet przyfrunęło duże stado szpaków, wzniecając nieopanowaną radość Bobcia i dziadka. Na balkonie zresztą było przemiło – wiąz rosnący tuż pod nim urósł tak, że czubek jego gałęzi sięgał powyżej balustrady. W wielkiej donicy, przymurowanej do bocznej ścianki balkonu, dwa lata temu wyrosła samosiejka – malutki wiąz – i oto teraz rodzina Żaków z zachwytem ujrzała, jak malec wypuszcza pierwsze odważne pączki o wiele wcześniej niż jego duży rodzic. Mieszkające w rynnie gołębie zaczynały swoje wrzaski już o szóstej rano i budziły, niestety, małą Irenkę, o której można było powiedzieć wiele rzeczy, ale na pewno nie to, że jest śpiochem.

Na tydzień przed Wielkanocą, ostatniego dnia przed feriami szkolnymi, Żaczek wrócił z dłuższej podróży służbowej. Było wczesne popołudnie i ojciec, bardzo głodny, liczył na to, że trafi na zwykły gwar i bałagan przedobiadowy. Ku swojemu zdziwieniu zastał mieszkanie ciche i dziwnie czyste. Niesamowite to wrażenie pogłębiało jasne światło bijące z umytych okien i przefiltrowane przez białe, pachnące świeżością firanki. Podłogi lśniły jak szkło, w wazonach pachniały kwiaty. W połączeniu z faktem, że Celestyna schudła o połowę i snuła się po mieszkaniu nie dostrzegając nawet swego ojca, dawało to obraz w najwyższym stopniu niepokojący.

– Cielęcino, ty masz zmartwienie – rzekł ojciec tonem twierdzącym.

– Skąd – tępo odpowiedziała Cesia, nawet na niego nie patrząc.

– Przecież widzę. Co się stało?

– Nic. Słowo honoru. Można pęknąć ze śmiechu – powiedziała Celestyna i konsekwentnie wybuchnęła płaczem.

Ojciec usłyszał z kuchni łoskot garnków i udał się czym prędzej w kierunku, z którego dochodził ów luby dźwięk. W kuchni pełnej smakowitych woni Julia z pieśnią na ustach zmywała naczynia, co było również niepokojące.

– Julio, dzień dobry – przemówił Żaczek. – Słuchaj, czy Cesia się przypadkiem nie zakochała?

– Nie mam pojęcia – odparła Julia spokojnie. – Jeśli o mnie chodzi, zakochałam się w Toleczku.

– O, rety – jęknął Żaczek.

– Powiedziałam mu, że go kocham i że powinien się ze mną ożenić.

– Powiedziałaś mu, że powinien... – powtórzył Żaczek w osłupieniu.

– Się ze mną ożenić. Oczywiście, jak się już z tą myślą oswoi.

– O, rety.

– Jesteś głodny, Żaczku?

– Wściekle, wściekle – odrzekł ojciec.

– Bardzo mi przykro, ale musisz na razie poczekać.

– A to niby dlaczego?

– Toleczek będzie jadł z nami. W ramach oswajania.

– O, rety.

– Dziś zupa à la Reine z ryżem.

– Cesia gotowała czy Krystyna?

– Ja – oświadczyła Julia.

– O, rety.

– Na drugie danie coq au vin.

– Czy ten coq au vin to kura?

– Kura, ale au vin.

– Aha.

– Do tego zapiekane pory lub marchewka Vichy – do wyboru. I grzanki. Na deser Murzyn w koszuli.

– Dlaczego w koszuli? – zgłosił pretensję Żaczek.

– Według przepisu. To taki krem czekoladowo-śmietankowy.

– O, rety.

– Tolo bardzo lubi jeść to, co ja ugotuję – oznajmiła Julia z uśmiechem czarnej pantery. – Wpadł po uszy, możesz mi wierzyć.

– O, rety.

– Coś jeszcze chciałbyś wiedzieć?

– Owszem. Kto wypucował mieszkanie?

– Ceśka.

– No, więc właśnie. Ona zawsze sobie znajduje takie rozrywki, jak ma poważne zmartwienie. Chcę wiedzieć, o co tu chodzi?

– A, nie wiem – Julia machnęła ręką. – Ja jestem egocentrycznie zajęta własnymi sprawami. Zresztą, w jej wieku to nic poważnego.

– Jest nad wiek poważna – rzekł ojciec. – Więc nic nie wiadomo. A co mama na to?

– Mama chałturzy. Dostała poważne zlecenie i prawie jej nie widujemy.

Weszła Cesia. Była blada, spojrzenie miała nieobecne i zrozpaczone.

– Idę na fizykę – przemówiła. – Albo na astronomię. Tato, co to są te cholerne kwarki?

– Hipotetyczne cząstki elementarne – rzekł ojciec zdumiony. – Czyżby to właśnie dręczyło cię przez cały ten czas?

– Nie – odparła Celestyna. – Przez cały ten czas dręczy mnie świadomość popełnionych błędów. Zrozumiałam, że za wszystko się płaci.

– Jest to spostrzeżenie nie pozbawione słuszności – przyznał ojciec.

– Nic nie mija bez śladu. Cokolwiek zrobię, będę to miała zapisane w historii życia, podobnie jak do historii choroby wpisuje się każdy drobiazg. Coś, co się już stało, stało się na zawsze. Minęło i już nie mogę tego zmienić. Niby nie ma, a jest. Ktoś o tym pamięta i ja o tym pamiętam, i nie można zrobić nic, żeby to wymazać.

Ojciec uchwycił się ostatniego słowa.

– Co wymazać? – spytał zaniepokojony.

– Głupi postępek. I w ogóle wszystko. Dotąd to było możliwe, bo miałam do czynienia głównie z rodziną. Ale teraz to się zmieniło.

– Zmieniło się, powiadasz? – zaniepokoił się Żaczek.

– Zmienił się cały świat – oświadczyła Cesia dobitnie i wyszła, nawet się nie domyślając, że sprawiła, iż jej ojciec nagle przestał być głodny.

2

Przy obiedzie Cesia siedziała jak martwa, z wzrokiem wbitym w pusty talerz. Rodzina, która uporała się już ochoczo nawet z Murzynem w koszuli, nie dostrzegła nic, dopóki mama nie spytała:

– Cesia, czy ty nie jadłaś?

Cesia nawet nie usłyszała pytania. Pogrążona w sobie, nie zwracała najmniejszej uwagi na otaczający ją świat.

– Coś nie gra – mruknął ojciec do siedzącego obok dziadka.

– Nie gra, panie tego – zgodził się dziadek. – Każ jej iść do koleżanki czy co. Kobiety, panie tego, muszą wygadać zmartwienie.

– Cesiu! – powiedział Żaczek, szarpiąc córkę za ramię. – A może byś tak zaprosiła tę swoją galaretowatą przyjaciółkę?

W oczach Cesi odbiło się lekkie oburzenie.

– Galaretowatą?! – powtórzyła.

Był to już jakiś objaw życia i stroskany ojciec postanowił iść dalej tym tropem.

– Słowo daję, stęskniłem się za tą pokraczną chudziną. Jak tam jej trzeci migdał?

– Czy ty mówisz w dalszym ciągu o Dance? – poinformowała się Celestyna prawie ze złością.

– O, tak. Brzydkie to, ale miłe – odparł Żaczek radośnie.

– Mylisz się gruntownie – powiedziała Celestyna, z wolna zapadając z powrotem w odmęty swego smutku. – Ona wcale nie jest miła, ale za to jest piękna. Właśnie zaczynam dochodzić do wniosku, że wolałabym być piękna i niemiła niż miła i brzydka.

– A ja wolałbym być piękny i miły – oznajmił Bobcio nie pytany.

– Cha, cha! – zaśmiał się Tolo, który był z sobie tylko wiadomych powodów w znakomitym wprost humorze.

– Toleczku, może jeszcze Murzyna? – spytała Julia tonem cukrowej wróżki.

– No, dołóż, dołóż, kochanie – przyzwolił łaskawie młody basza.

– A ja będę malował pisanki! – wrzasnął Bobcio. – Jak ja się cieszę!

Nikt nie miał serca odmówić dziecku tej przyjemności – chociaż było jeszcze trochę za wcześnie na malowanie pisanek. Jednakże myśl, że Bobcio będzie siedział w skupieniu i ciszy przez co najmniej godzinę, skusiła wszystkich dorosłych.

– Dobra, Bobek, ugotuję ci dziesięć jaj – zgodziła się mama Żakowa.

– Tylko żeby mi były świeże – powiedział Bobcio surowo.

3

Była już piąta po południu, a Danka nie przychodziła. Cesia się tego spodziewała – od jutra zaczynały się ferie i w gruncie rzeczy sama nie wierzyła, by Danka mogła mieć dziś chęć na naukę. Siedziała więc przy stole w dużym pokoju i apatycznie patrzyła w dal za oknem. Życie wydawało się jej ponure i żaden tam szósty zmysł nie był w stanie zmienić tego poglądu. Jerzy przestał ją w ogóle dostrzegać, wobec czego któregoś dnia Cesia przez zemstę umówiła się z brodaczem. Poszli do kina i traf chciał (a zresztą, może to nie był przypadek?...), że Hajduk też tam był. Cesia, która nie znalazła w towarzystwie brodacza spodziewanej słodyczy odwetu, zyskała przekonanie, że randką z nim ostatecznie przekreśliła wszelkie szanse na porozumienie z Jerzym.

Następne dni miały pokazać, że nie myliła się znów tak bardzo. Hajduk zabrał do kina starościnę Kasię i nazajutrz cała klasa dowiedziała się z ust tej młodej damy, że Jureczek jest słodki, po prostu słodki. Po kinie zaprosił Kasię na lody i bardzo zajmująco opowiadał o literaturze iberoamerykańskiej. Cesia postanowiła nie zwracać uwagi na całą tę niesmaczną scenę. Ale w głębi jej serca tkwił potężny cierń i jakby nawet zaczął wypuszczać tam nowe kolce.

O wpół do szóstej przyszła wreszcie Danka.

– Wpadłam tylko po drodze – oznajmiła. – Chyba dziś dasz mi spokój i nie każesz wkuwać?

– Po feriach będziesz pytana z polskiego, chemii i matmy – uprzytomniła jej Celestyna.

– No, mamy przecież tydzień czasu! – krzyknęła Danka.

– Nie tydzień, a sześć dni – uściśliła Cesia. – Mówiłaś przecież, że w oba Święta musisz być w domu i u rodziny.

– No, bo muszę – powiedziała ze złością Danka. – A ty nie musisz?

– Czyżby cię to interesowało? – kąśliwie spytała Cesia, której charakter ostatnio stracił wszelką przyrodzoną słodycz. – Dotychczas zawsze uważałaś, że mój czas należy do ciebie i że jeśli już wyświadczasz mi tę przyjemność, że pozwalasz się uczyć, to powinnam odłożyć wszystkie swoje zajęcia i plany.

– Ja cię, kochanie, wcale nie zmuszam, żebyś się mną zajmowała – wycedziła Danka z wyszukaną grzecznością.

– Tak. Kto inny mnie zmusza i ty o tym świetnie wiesz.

– No, to czego się nim przejmujesz?! – zawołała Danka z rozdrażnieniem.

– Bo mu obiecałam, że cię wyciągnę z tego wszystkiego!

Danka zerwała się.

– Mam to w nosie! – krzyknęła. – Wyciągać mnie i wyciągać! Uważają mnie za idiotkę. A mnie jest wszystko jedno!

– I nic cię nie obejdzie, że stracisz rok?!

– Ja go nie stracę – oświadczyła Danka. – Ja go zyskam, kochanie ty moje. O rok później będę dorosła. Wcale mi się do tego stanu rzeczy nie spieszy.

Cesia poczuła, że słabnie. Co ona ma zrobić? Jak pomóc Dance i jak wybrnąć ze zobowiązań podjętych zbyt pochopnie? Była tak zmęczona i zmartwiona, że umysł odmawiał jej posłuszeństwa. Tak naprawdę miała teraz ochotę zniknąć. Zaszyć się gdzieś w kącie, przykryć czarnym kocem i zasnąć, zatykając uszy palcami. Zniknąć po prostu i nie widzieć tego wszystkiego.

Danka spojrzała na zegarek i zasiadła przy stole.

– Możesz mnie poczęstować herbatą – oświadczyła. – Mam randkę z Pawłem o szóstej. Jeszcze zdążę się napić.

– Nie chce mi się – powiedziała Cesia buntowniczo.

– Nie, to nie – obraziła się Danka. – Aha, widziałam twojego Hajduka z Kasią. Szli nawet ze mną kawałek, pożegnaliśmy się pod twoją bramą.

– Tak? – powiedziała obojętnie Cesia, podczas gdy cierń rozpaczy wgryzał się w jej trzewia. – Popatrz, po... – i nagle głos się jej załamał. Zerwała się i wybiegła, chcąc ukryć przed Danką tak jawny dowód swej słabości.

Nie było gdzie się schronić. Cesia czuła, jak łzy wymykają się już spod jej powiek i wiedziała, że jeśli natychmiast gdzieś się nie ukryje, urządzi niezły spektakl całej swej rodzinie i wszystkim obcym osobom, które przebywają pod tym dachem. Chciało się jej krzyczeć, tłuc pięściami o głowę, rozbijać talerze i skakać przez okno. Musiała koniecznie znaleźć jakiś azyl.

Biegnąc długim korytarzem błyskawicznie dokonała przeglądu pomieszczeń domowych, dochodząc do wniosku, że wszystkie są zajęte – nie wyłączając nawet łazienki. Wobec tego rzuciła się do drzwi wiodących na strych i, pozwalając sobie na głośny płacz, pognała schodkami na wieżę.

Płakała okropnie przez mniej więcej dziesięć minut i kiedy przyszło jej wycierać nos ręcznikiem, bo chusteczka była już mokra, niespodziewanie odczuła coś w rodzaju rozbawienia. Potem przejrzała się w wiszącym na ścianie lusterku i ujrzawszy swoje oblicze równo spuchnięte i pokryte intensywnie czerwonymi cętkami, mimo woli parsknęła śmiechem. Zjadła paczkę serduszek w czekoladzie i już chciała nastawić sobie płytę ze Scarlattim, kiedy na schodach rozległy się lekkie kroki Danusi.

Cesia odruchowo przyskoczyła do drzwi i zamknęła je na klucz. Następnie usiadła wygodnie na materacu dmuchanym i wesolutki uśmiech wykwitł na jej ustach.

– Ależ to bardzo dobry pomysł – powiedziała sobie cicho. – Cóż z tego, że plagiat.

4

Przez całe dwie godziny Bobcio malował pisanki. Pozostawiony sam na sam ze swoją muzą, w skupieniu, z namaszczeniem i bardzo pedantycznie smarował jajka plakatówkami Julii i kiedy przyszła pora podwieczorku, mina chłopczyka wskazywała, że jest bardzo dumny ze swgo dzieła.

– No, jak tam, Bobek? – spytała mama Żakowa wchodząc do pokoju z tacą w rękach. – Jak twórczość dziecięca? Pomyślnie?

– Sama zobacz – zachęcił ją Bobcio.

– Już, już – powiedziała mama Żakowa, rozstawiając szklanki z herbatą. Do pokoju weszła mama Bobcia.

– No, jak tam, Bobek? – spytała mało oryginalnie. – Jak twoje pisanki?

– Sama zobacz – powtórzył Bobcio, wyczuwając niejasno, że żadnej z nich nie interesuje jego praca. Czuł się nieco dotknięty.

Ciocia Wiesia podeszła do swego syna.

– O, Jezus! – rozległ się nagle jej krzyk.

Mama Żakowa wypuściła z ręki wszystkie łyżeczki.

– Co się stało? – krzyknęła.

– Sama zobacz – jęknęła Wiesia.

Mama Żakowa podeszła bliżej i zesztywniała. Pisanki Bobcia, utrzymane w pięknych czystych kolorach, na pierwszy rzut oka wyglądały uroczo. Na drugi rzut oka budziły nieokreśloną grozę. A kiedy się człowiek dobrze przyjrzał, ujawniały swą złowrogą treść.

– Co to jest? – krzyknęła mama Żakowa, wskazując jajko upstrzone przeraźliwymi, powykręcanymi paluszkami.

– To? – upewnił się Bobcio. – To bakterie.

– A to? – wypytywała Wiesia.

– To? To Somosierra. Bitwa na czołgi.

– A to? – spytała bezsilnie Wiesia, wiedząc, niestety, jaka będzie odpowiedź.

– To? – powiedział Bobcio. – A, to. To jest Hitler.

Kolejne egzemplarze – bo Bobcio sumiennie zapełnił malunkami wszystkie dziesięć jaj, wykazały cioci Wiesi, że jej dziecko ma zainteresowania monotematyczne. Odstępstwo od militariów stanowiły dwie wizje bakterii i witamin, obie nadzwyczaj przygnębiające, oraz wizerunek myszy – tylko jeden, ale za to jak żywy.

– No i co? – dopytywał się Bobcio. – Ładne? – Z pewną melancholią stwierdził, że efekt jego uporczywej pracy twórczej nie znalazł uznania w oczach matki i ciotki. Zupełnie nie rozumiał przyczyny. – Może kolory za smutne? – spytał.

– Nie, dlaczego – odpowiedziała matka, niezbyt, jak mu się zdawało, szczerze. – Kolory to zrobiłeś bardzo milutkie.

– Tak, tak – przyłączyła się ciocia Żakowa. – Co jak co, ale kolory są na medal.

Już chciał zauważyć, że wszystko zrobił na medal, kiedy trzasnęły drzwi pokoju i wpadła Danka.

– Cesia zamknęła się na wieży i nie chce wyjść! – krzyknęła.

Jeśli sądziła, że zdoła tym oświadczeniem poruszyć matkę Celestyny, była w oczywistym błędzie.

– Tak? – spytała z roztargnieniem pani Żakowa. – No, no. Co ty powiesz.

– Ja uważam – powiedziała ciocia Wiesia – że Bobcio koniecznie powinien podarować te pisanki Nowakowskiemu.

– Świetny pomysł – ucieszyła się mama Żakowa.

– Nowakowskiemu? – obraził się Bobcio. – Przecież ja to robiłem na świąteczny stół!

– Cesia nie chce wyjść! – Danka nie rezygnowała.

– No, to niech nie wychodzi – rzuciła mama Żakowa od niechcenia.

– Bobcio, nie bądź egoistą. Nowakowskiemu też się coś od życia należy. Daj mu tę z Hitlerem.

– Z Hitlerem jest najlepsza! – krzyknął Bobcio wzburzony.

– Więc właśnie dlatego powinieneś ją dać swojemu przyjacielowi – wyjaśniła mu Wiesia. – Nic tak nie utwierdza nas w przekonaniu o własnej szlachetności, jak własna szlachetność. Irena, nie uważasz, że powiedziałam coś bardzo mądrego?

– Powiedziała, że nie wyjdzie stamtąd aż do śmierci! – błagalnie wygłosiła Danka. – Ratujcie ją!

– Kogo ratować? – zdziwiła się mama Żakowa.

5

W tym samym czasie Celestyna znajdowała się w kuchni, gdzie z całkowitym spokojem przygotowywała sobie solidny zapas żywności i napojów na pierwszy okres zamknięcia. Zapakowała do koszyka patelnię, dziesięć jaj, cały bochenek chleba, kilka cebulek, słoik smalcu, sól, cukier i herbatę, kawał sera edamskiego, kilogram jabłek i słoik ogórków kiszonych. Następnie zaniosła to wszystko na wieżę, po czym wróciła na dół, by porządnie umyć się w łazience. Zabrała też budzik z myślą o tym, że aby bez przeszkód móc skorzystać z łazienki, trzeba będzie teraz wstawać o czwartej rano, kiedy wszyscy mocno śpią.

Podśpiewując pod nosem zabrała jeszcze koc i poduszkę z tapczanu rodziców oraz kilka nowych książek, których dotąd nie miała czasu przeczytać. Przemykając obok dużego pokoju usłyszała rozmowę Danki z mamą i uznała, że jak dotąd wszystko przebiega po jej myśli.

Była w pysznym humorze. „Doprawdy, nie mogłam wymyślić nic lepszego" – pomyślała mijając drzwi pokoju Krystyny i słysząc wściekły wrzask głodnego niemowlęcia.

180

Weszła na wieżę i starannie zamknęła drzwi od wewnątrz. O, Boże, jak cudownie. Wakacje! Prawdziwe wakacje!

Koniec z ciągłym myciem garów, zakupami, karmieniem Irenki i wywożeniem jej na spacer. Koniec z nocnym gotowaniem koperku włoskiego. Niech kto inny piecze babki na Wielkanoc. A co do Danki, to jeszcze się zobaczy.

Nastawiła sobie płytę Asocjacji Hagaw i gryząc jabłko, wyciągnęła się wygodnie na materacu. Przykryła się kocem, podłożyła pod głowę poduszkę i sięgnęła po „Feynmana wykłady z fizyki".

6

W dwa dni potem wciąż jeszcze siedziała na wieży. Nie była przecież Danką, która wytrzymała podobną sytuację tylko przez jedną noc. O, nie. Cesia podeszła do tego zagadnienia metodycznie. Przyjęła słuszną zasadę Danki, by nie odzywać się do nikogo. O wiele bardziej dramatycznie niż utarczki słowne przedstawiały się kartki z krótkimi komunikatami i groźbami, zakończonymi mnóstwem wykrzykników. W kartkach tych Cesia systematycznie przemycała wiadomość, że zamknęła się na wieży z powodu lenistwa Danki i nie wyjdzie, póki ta nie przekona jej, iż po feriach nie dostanie już żadnej dwói.

– Ja bym tego nie brał poważnie – gorączkował się dziadek wieczorem drugiego dnia. – Posiedzi, panie tego, i wyjdzie.

– To nie ona – markotnie powiedział ojciec. – Nie miejcie złudzeń. Moja krew.

– Zawsze była konsekwentna i uparta – zauważyła mama. – Po mnie, rzecz jasna.

Danka siedziała z nosem na kwintę. Odkąd Celestyna zamknęła się w swej samotni, Danka, dręczona wyrzutami sumienia, niemal nie wychodziła z mieszkania Żaków. Teraz miętosiła w dłoni kartkę od Celestyny z najświeższym komunikatem.

– Pisze, że wstydzi się wrócić do szkoły. Przeze mnie. Nie może spojrzeć w oczy Dmuchawcowi i dlatego nie wyjdzie z wieży już nigdy.

– Nie, no, kiedyś przecież musi wyjść! – krzyknęła Wiesia.

– Ale może już być za późno – szepnęła Danka. – Teraz to ona może zawalić rok.

– Albo zwariować tam w tej pustce i samotności – powiedziała ciocia Wiesia z uczuciem. W jej głosie drżały łzy.

Mama oświadczyła, że trzeba coś zrobić, bo dziecko się tam przeziębi na śmierć.

– Nie można pogwałcić jej niezawisłości – rzekł ojciec z miną stratega. – To mogłoby ją pchnąć do czynów bardziej kategorycznych. Wierzcie mi, ja ją znam. Moja krew.

– Ja bym miała sposób... – wycedziła wolniutko mama. – Wpatrywała się w Dankę natchnionym i uważnym wzrokiem lwa, który ma pewne plany wobec gazeli.

Żaczek zrozumiał żonę bez słów. Jego oczy przybrały ten sam wyraz.

– Aha... ja bym się przyłączył.

Spojrzeli na siebie porozumiewawczo.

– Co, co?! – wystraszyła się Danka.

– Danusiu – powiedziała miłym tonem mama Żakowa. – Ja zaraz zadzwonię do twoich rodziców. Chcielibyśmy, żebyś u nas zamieszkała na tych kilka dni.

– Ja bym ją mógł przygotować z chemii – rzekł dziadek, przedwojenny inżynier.

– Ja z historii i z polskiego – powiedziała mama.

– Ja z fizyki i matmy – ofiarował się Żaczek, nie spuszczając z Danki lwiego spojrzenia.

– Ja nie chcę! – przeraziła się Danka.

– Nikt się ciebie, moje dziecko, nie pyta – uświadomiła jej ciocia Wiesia. – Kilka dni wytężonej pracy i uzupełnisz zaległości.

– A Cesia wyjdzie z wieży. Biedna mała, samotna i zziębnięta – rozczuliła się mama Żakowa. – No, to idę dzwonić do rodziców Danki. Zaproszę ich na drugi dzień Świąt. Będą mogli się przekonać, jaką mają wykształconą córkę.

7

– Cesiu! Cesiu!

– Co? – spytała sennie Cesia przecierając oczy. Spojrzała na budzik. Siódma rano.

– Możesz ją przepytać z fizyki – powiedział ojciec za drzwiami. – Siedzieliśmy całą noc. Wszystko już umie.

– Nie będę jej odpytywać – zdecydowała Celestyna. – Wystarczy mi twoja opinia.

– No, mówię ci! Obkuta na cztery kopyta! – pochwalił się Żaczek.

– Doskonale. A jak z matmą?

– Matmę robimy dziś.

– Jak ona to znosi?

– Już nie mogę! – płaczliwie wyjęczała Danka gdzieś z oddali. – Cesiu, kochana, zlituj się, oni mnie zamęczą na śmierć.

Cesia ziewnęła szeroko.

– Ucz się, ucz! – powiedziała. – Bo wyskoczę przez okno! – Naciągnęła koce na głowę i z lubością pogrążyła się w błogostanie.

8

W południe z pewną niechęcią przystąpiła do smażenia jajecznicy. Właściwie, nie mogła już patrzeć na to danie. Jadła je, jakby nie było, już cztery dni pod rząd. Postawiła patelnię na maszynce i rozpuściła masło. W tej samej chwili ktoś zapukał.

– Cielęcino! To ja, mama!
– No, co?
– Stawiam ci obiad przed drzwiami!

Uradowana więźniarka otworzyła natychmiast. Mama, zaaferowana, weszła do wnętrza wieżyczki z tacą w rękach.

– Julia ugotowała – powiedziała znacząco. – Nie masz pojęcia, jak ona dba o tego swojego kłapouszka. Preferuje kuchnię francuską, bo ubzdurała sobie, że w domu Tolka tylko tak się jada. Nie rozumiem, skąd ten pomysł.

– To pewnie przez Pascala – podsunęła Cesia łowiąc nozdrzami subtelny aromat czosnku i pomidorów.

– A, pewnie przez niego. Tak czy inaczej, Tolo zajada jak najęty. Zobacz, dziś soupe au pistou, postna zupka z bazylią. Prowansalska. Następnie, proszę ciebie, dorsz à la Parmentière. Zapiekany. Pomyślałam sobie, że dużo byś straciła nie jedząc tych pyszności.

– Bardzo dziękuję. A jak tam Danka?

– Wkuwa – zachichotała mama. – Dziś wziął się za nią dziadek. A jutro kolej na mnie – historia i polski. Ostatniego dnia zrobimy generalną powtórkę. Po feriach pójdzie do szkoły jak nowo narodzona.

– No, to nieźle – pochwaliła Cesia.

– Jak zjesz, to wystaw tacę za drzwi. Przyjdę po nią – powiedziała mama i wyszła z wieżyczki.

– Mamo! – zawołała Cesia.

– Co? – cofnęła się mama.

– A kto właściwie teraz myje naczynia?

– Wszyscy po kolei. Ustaliliśmy dyżury – oświadczyła mama. – Kto się wyłamie, musi płacić pięćdziesiąt złotych grzywny.

– A kto kąpie Irenkę?

– No, któż by? Jej rodzice – odparła mama. – W ogóle muszę ci powiedzieć, moje dziecko, że twój plan był genialny i powiódł się w pełni. Wygrałaś! – przesłała Cesi całusa i wyszła.

9

Na dzień przed Wielkanocą wypuszczono Dankę do domu. Cesia widziała ją z okna. Jej przyjaciółka szła wolno, ledwie powłócząc nogami. Przeszła przez jezdnię, stanęła koło kiosku i spojrzała w górę. Ujrzawszy Cesię w oknie wieżyczki wystawiła język i popukała się znacząco w czoło z wybitnie obraźliwą intencją. Cesia uśmiechnęła się uprzejmie i pokiwała jej ręką. Była rozbawiona.

Danka wzruszyła ramionami i oddaliła się krokiem dromadera, a Cesia nabrała ochoty, by wrócić do mieszkania. Wczorajsze komunikaty o stanie wiedzy Danusi brzmiały dość optymistycznie. Mieszkanie było sprzątnięte rękami Wojtka, a ciasta i baby upieczone przez mamę emitowały na cały dom smakowite wonie drożdży, wanilii i skórki pomarańczowej. Tak, była to sytuacja sprzyjająca powrotowi na łono cywilizacji. Podeszła znów do okienka, żeby je zamknąć.

Chwileczkę. Kto to stoi obok kiosku?

– O, nieba!

Hajduk stoi.

Oparł się o boczną ściankę kiosku i stoi, jakby na kogoś czekał. Może na Kasię, cha, cha.

Nie, nieprawda.

Patrzy na dom. Ach, żeby jej tylko nie dostrzegł w tym okienku.

Cofnęła się. Serce znów zaczęło się tłuc jak oszalały wróbel. Czy to możliwe, że on na nią czeka? Zaraz. A może już poszedł?

Powoli przysunęła się do okienka i zerknęła w dół.

Nie poszedł.

Patrzy na dom, patrzy w okno jej pokoju.

Może zresztą tylko tak się jej wydaje. Ale w każdym razie...

Czekał. Czekał!

Wyjść do niego? Nie, nie ma mowy!

Jurek, Jurek, Jurek.

No, na co on czeka?

Już tyle razy spotykała go obok tego kiosku. Ciekawe, dlaczego tak sobie upodobał to miejsce?

Czyżby dlatego, że widać z niego okna jej mieszkania?

Ach, zarozumiała z niej idiotka. Wymyśliła sobie to wszystko. Przecież jest taka głupia, nieciekawa, banalna i szpetna. Nie ma mowy, żeby kogoś mogła sobą zainteresować. Tyle cudownych dziewczyn chodzi po świecie, tyle pięknych, mądrych, wspaniałych istot, obdarzonych pewnością siebie i ubranych jak z żurnala. Trzeba mieć trochę rozsądku. Kasia, na przykład, urocza dziewczyna (ach, żeby ją reumatyzm pokręcił) ma nieporównanie więcej szans u każdego chłopaka niż Celestyna Żak, bezbarwne cielę.

Wciąż stoi. Znowu spojrzał w górę. Wyraźnie czeka. Jak się nie doczeka, to sobie pójdzie. Gdyby miała pewność, że on czeka na nią... Właściwie, można by sprawdzić. Na przykład stanąć sobie od niechcenia w oknie...

Stanęła od niechcenia w oknie. Jak gdyby nigdy nic. Spojrzała z zainteresowaniem na chmurki, wymyślając sobie od idiotek. Policzyła do pięciu i opuściła wzrok.

Jerzy Hajduk przebiegał przez jezdnię pełną pędzących samochodów. Stanął pod domem i coś zawołał, unosząc głowę i patrząc na Cesię z niepokojem.

Nic nie zdołała zrozumieć – urywki słów ledwie dochodziły przez szum silników i terkotanie traktora. W dodatku radio u Nowakowskich było nastawione na cały regulator i nadawało jakieś ponure chóralne pienia.

Ale jedno było oczywiste – Jerzy czekał na nią! Szaleńcza radość i to, że Hajduk znajdował się w znacznej odległości, i cała ta sytuacja śmieszna i niezwykła sprawiły, że z Celestyny opadły nagle kompleksy i zahamowania. Pokiwała Hajdukowi ręką tak wesoło i swobodnie, jakby robiła to przez całe życie, i to dziesięć razy dziennie. Dała mu znak, żeby poczekał – i rzuciła się do wnętrza wieżyczki. Chwyciła długopis i wyszarpnęła kartkę z zeszytu.

Cześć, co tu robisz? – napisała.

Złożyła kartkę i umieściła ją na dnie koszyka. Odnalazła kłębek kabla, pozostałość po urządzaniu wieżyczki. Przyczepiła koszyk do jednego końca kabla i spuściła swoje posłanie na ulicę.

Widziała z góry ciemną głowę Jerzego. Wyjął liścik z koszyka, przeczytał, podniósł głowę i uśmiechnął się do Cesi. Potem nabazgrał coś na odwrocie kartki. Machnął ręką i Cesia wciągnęła koszyk na górę.

Czekam na ciebie. Bałem się, co z tobą. Nie wychodziłaś z domu przez sześć dni. Myślałem, że jesteś ciężko chora.

Bał się o nią! – Cesi z emocji zaschło w gardle. Przeczytała kartkę dwukrotnie. Czy to znaczy, że on przychodził tu co dzień?

Nie żartuj. Czyżbyś przychodził tu co dzień? – napisała niefrasobliwie i z drżeniem serca czekała na odpowiedź.

Oczywiście – odpisał Jerzy. – *Przecież ci mówilem, że muszę cię widzieć ciągle.*

Cesia nie wierzyła własnym oczom.

A jak tam Kasia? – napisała na nowym arkusiku, z zabójczą wprost starannością kaligrafując imię rywalki.

Ach, ona jest niezwykła. Potrafi zjeść pięć porcji lodów w ciągu kwadransa – odpowiedział Jerzy swoim wyrazistym i mocnym pismem. – *Danka mówiła, że jesteś o Kaśkę wściekle zazdrosna. Nie ukrywam, że o to mi chodziło. P.S. A jak tam brodacz?*

Śmiejąc się nerwowo, Cesia wzięła nową kartkę. Och, o ileż prościej, o ileż łatwiej było pisać niż mówić.

Brodacz to kolega mojej siostry – odpisała dyplomatycznie. – *Cieszy mnie, że ty też bywasz wściekle zazdrosny.*

Nieprawda!!! Nigdy nie bywam!!!

A właśnie, że tak! – odważyła się Cesia.

Niech będzie, że masz rację. Chyba nie mam kręgosłupa. Bardzo ci będzie łatwo mną dyrygować!

Niestety, podejrzewam, że kręgosłup masz za dwóch. Pewnie będziemy się kłócić – brzmiała trzeźwa odpowiedź Celestyny.

Wszystko dobre, byle razem – napisał Jerzy. – *Czy pójdziesz ze mną do kina? P.S. Zdaje się, że jestem w tobie zakochany.*

Wszędzie! Nawet do operetki! P.S. A ja w tobie.

Dobra. A brodatego oblej witriolem, jak należy. Wesołych Świąt! – napisał Jerzy Hajduk, pomachał Cesi ręką i poszedł do domu.

Coś takiego...

Nie do wiary...

Wszystko wokół było takie samo jak przed półgodziną.

Tak samo świeciło słońce, tak samo ryczało radio u Nowakowskich, tak samo dreptali zagonieni przechodnie, tak samo warczały ciężarówki. Nic się nie zmieniło. Nikt nawet nie zauważył, że na świecie jest o dwoje szczęśliwych ludzi więcej.

Nikt, z wyjątkiem Bobcia. Bobcio zauważył. Już od dłuższego czasu obserwował z głębi pokoju stołowego zagadkowe przesuwanie się koszyczka za oknem – to w górę, to w dół. Po ustaniu tego ruchu rzucił się na balkon, by zgłębić istotę zjawiska.

Jego uwadze nie uszedł najmniejszy szczegół. Facet stojący pod domem miał na twarzy wyraz taki sam, jaki miewał Tolo, a w oczach to samo maślane zachwycenie. Bobcio skojarzył szybko minę faceta z faktem, że na wieży siedzi Ceśka, i pojął, że w życiu rodziny zaczyna się nowy, interesujący okres.

Sapnął z satysfakcją i powrócił do stołu, gdzie uprzednio domalowywał na pisance kwiatuszki wokół głowy Hitlera. Teraz podparł bródkę i rozmarzył się na dobre. Przed oczami jego duszy przeciągał korowód myszy, gości, tortów i mnóstwa ciekawych niespodzianek, jakimi można urozmaicić wizyty nowego wzdychulca.

Pomyślał, że na pewno będzie kupa śmiechu.

I pomyślał też, że życie jest piękne.

Li i jedynie.